われわれが

中国の知識人による

習近平体制と

決死の「内部告発」

命がけで闘う

金文学
Jin Wenxue

13の理由

ビジネス社

はじめに

いまこそ聞くべき、中国共産党と闘い続ける「知的勇士」たちの声

武漢（ウーハン）発新型コロナウイルスの世界的パンデミックのなか、中国の独裁主義的な病弊が一気に明らかになりました。

ある意味で、今回の武漢ウイルスの暴発は、中国史の大きな転換点になる可能性があります。中国はこれまで改革開放40年にわたる高度成長を謳歌し、ＧＤＰ世界第2位の経済大国へと発展してきました。

しかし、現代中国という巨大な国家の至るところに、経済成長の陰に隠れたさまざまな問題が山積しています。ことに、習近平（シージンピン）体制が成立してから、中国社会は毛沢東時代に戻ったかのように言論が統制され、監視と密告制度が高度にデジタル化したものに変容しました。まさにジョージ・オーウェルのディストピア小説『一九八四年』の実写版そのものです。

すなわち社会全体が〝習王朝〟と化し、まるで文化大革命（文革、１９６６～１９７６年）

の時代にまで後戻りしたように感じます。華麗な「史上最高の中国」という自画自賛の化けの皮を1枚剥(は)ぐと現れる現実は、仰天するほど悲惨なありさまなのです。

日本では、あまり伝わってきませんが、実は中国大陸には、反体制、あるいは独立自由の良心を持つ知識人が、数えきれないほど存在しています。

いま日本では、在日中国系知識人が中国批判を活発に展開しています。だが自省を込めて言えば、私を含め数少ない中国出身の識者は、日本の民主主義で保障された言論の自由を十分享受しながら、ある種〝言い放題〟になっているのではないでしょうか。

その一方で、中国本土の独裁体制内にいながら、中国の不条理、病弊をえぐり、勇気ある批判を繰り返す知識人たちは、まさに「知的勇士」と言えるでしょう。

あれほど厳しい言論統制、人権弾圧を受けながら、あえて批判的知識人として自分の信念を曲げない彼らに、私は最高の敬意を表します。

私は中国で生まれ育った比較文化学者、文明批評家として、中国で発言し続ける反体制、批判的知識人にかねて注目していました。そこで多くが知己(ちき)でもある彼らに会ってインタビューをし、その肉声を日本に伝えようと考えたのです。

こうして2015年から2020年3月にかけて、30数人の中国のエリート知識人と対談を行いました（もちろん、コロナ禍の影響などで電話インタビューをした方も何人かいますが）。

その面々は、世界的に著名な北京大学の賀衛方（ホーウェイファン）教授、ノーベル文学賞候補として常に名前が上がる作家の閻連科（イエンリエンコー）、「中国経済学界の魯迅（ろじん）」とも呼ばれる90歳ながら老いてますます盛んな茅于軾（マオユーシー）、清華大学の女傑である郭于華（グオユーファ）教授、元中国人民大学教授で「中国共産党は21世紀のナチス」だとずばり喝破する周孝正（ジョウシャオジョン）、奇怪な小説で日本でも知られる女性作家の残雪（ツァンシュエ）などなど、すべてが錚々（そうそう）たる一流の学者、作家ばかりです。

現在まで、日本における中国批判や分析は、日本在住の中国研究家、評論家やジャーナリストによるものが大部分でした。しかし、本書は、中国大陸にいるエリート知識人による中国批判、告発の声を一堂に集めた、きわめて貴重な一冊と言えるでしょう。

中国国内にいながら公正、客観的に自国の現状を見つめるエリート知識人たちは、口をそろえて、自国の政治体制の問題、弊害を指摘し、習近平率いる中国は、このままだと経済、政治、文化、教育から国民の日常に至るまで、すべて破滅の危機に瀕すると声を上げています。

中国には、本当に明日があるのでしょうか？

本書に登場する中国人エリートたちの肉声に、耳を澄ましてください。巨大な敵と日々戦い、苦しみ抜いたからこそ絞り出せる、中国を批判し、自由を求める本物の叫びが聞こえてくるはずです。

この意味において、私は本書が皆さんの中国理解をさらに深めるうえで、最良の書となることを心から保証いたします。

令和二年六月吉日

金文学　謹識

理由 1

新型コロナウイルスは中国独裁体制の落とし子だ

~歴史学の大御所が解き明かす世界的惨事の裏側~

ユアンウェイシー
袁偉時（えん・いじ）

元中山大学哲学部教授。現代中国の歴史学の泰斗として、大学を退官したいまも内外のメディアから意見を求められている。
1931年、広東省生まれ。50年、中山大学経済学部に進学し、その後復旦大学で政治経済を研究する。57年に同大卒業後、中山大学に赴任。哲学部教授、同大孫文学院長などを歴任し、94年に退官。2006年、中国の雑誌『氷点週刊』に歴史教科書に掲載された歴史認識を批判的に再検証する論文を発表。同誌は停刊を強いられる。08年、アメリカのスタンフォード大学フーバー研究所客員研究員。その後もメディアなどで、精力的に意見を発信し続けている。

主な著作——『新版中国の歴史教科書問題—偏狭なナショナリズムの危険性』（日本僑報社）、『中国現代哲学史稿』『近代中国論衡』『中国現代思想散論』『大国之道』『帝国落日—晩清大変局』など。

袁偉時さんは2020年に89歳を迎えるということが信じられないくらい、若いときと変わらず精力的に中国批判、評論を展開している。

「笑看塵囂(シャオカンチェンアオ)、該説就説(ガイシュオジョウシュオ)」が彼の信条である。「世間の動きに対し笑いで応じ、言うべきことはずばりと言う」という意味だ。そんな袁さんに電話で取材した。

まず受話器の向こうから聞こえてきたのは、袁老人の爽快な笑い声だ。そして、次のようにはっきりと語った。

「この虚言に満ちた社会において、私は歴史の真実を探り、見たもの、考えたものの通りに書き、発言しています」

若いときは、毛沢東思想に洗脳されたり、中国共産党体制に迎合したりすることもあったという。そんな人生をこう告白した。

「愚鈍な性格ではあったが、人生の後半期に思想的に目覚め、真理を追究する学者、思想家として変貌を遂げました」

学問としては、当初は経済学、それから哲学を専攻し、改革開放後は中国近代史、思想史へと研究対象を広げるとともに、さまざまな同時代の病弊に対しても鋭いメスを入れた。2006年には雑誌『氷点週刊』で、1900年に乱を起こした義和団のことを非人道的集団とするなど、中国の歴史教科書とは真逆の〝真実〟を書き連ねた論文を勇敢にも発表し、停刊事件を起こしたこともある。

1994年に中山大学哲学部教授を定年退職したあとの学問的成果のほうが、在職時より多いという在野の雄でもある袁さん。歴史、思想の研究をもとにした時流に対する鋭い批判は定評があり、多くのファンの支持を獲得している。袁さんはこう語る。

「人間の尊厳と真実の発言を貫き通すのが私の使命で、野蛮さに打ち勝つ文明史観を樹立するのが私の目標です」

対談の話題は現在、世界中を震撼させている中国武漢発新型コロナウイルスについてだ。「新型コロナウイルスは中国共産党体制の全体主義の病弊だ」と糾弾する彼の話の端々から、政府に対する怒りの言葉があふれ出てきた——。

悲しみとともに始まった2020年

金　2020年の初頭から新型コロナウイルスが猛威を振るって、すでに地球規模にまで拡大していますが、袁さんはいかがお過ごしでしょうか？

袁　うーん、今回、人間の生き死にに直接かかわるような感染拡大を見せていますが、私は何も慌てていません。怖くもないんです。もう89歳の老人ですから、どうすることもできないですし……。ただ感染を避けるため家に閉じこもって自主隔離すると同時に、毎日のようにニュースやネットをくまなく見ながら拡大の状況に注目しています。そして同時に、中国社会の病弊についても改めて考えていますね。

金　文章でも書かれているのでしょうか？

袁　歴史に関する新たな論文などを書いていましたが、現在はこのようなすさまじい状況なのでストップしています。心が落ち着きませんし、とても過去の歴史を振り返れるような状態ではありません。それよりも目の前の中国の現実に心を痛めていました。
とにかく、本当に悲しいですね。武漢は信じられない状況です。親が感染して亡くなってしまったのに、子どもたちは葬儀も挙げられないまま、遺体が運び出されてしまうといっ

かつてはブログ、現在は微信（ウィーチャット）を通じて、新型コロナウイルス問題や、アメリカの黒人差別に端を発した暴動事件など、幅広い分野で精力的に発言を続ける袁偉時。ウィーチャットアカウントのファン数は400万人以上を誇っている。

たように……。もちろん息子が病死しても、両親は遺体を見に行けません。旦那さんが死んでも、奥さんは葬式にすら出られない。若いママが死体を運搬する車で運ばれるとき、幼い男の子が追いかけながら大泣きする。「お母ちゃん、お母ちゃん、どこへ行っちゃうの？」と。

封城（フォンチャン）（都市の封鎖＝ロックダウン）した大都市では、人っ子ひとり見かけません。いるのは救急車、パトカー、死体運搬車、赤い腕章をつけた監視人くらいなもの。まさにSF映画、いやSF映画よりも恐ろしい光景です。「人間地獄」とは、こんな感じなのでしょうか。いずれにせよ、中国は悲しみのうちに2020年を過ごさなければならないこととなりました。世界のどの国も一緒ですが……。

爆発的感染拡大を招いた党幹部の「お家芸」

金　なぜ、新型コロナウイルスがここまで拡大したと思いますか。

袁　あらゆる災いは、すべからく〝人災〟です。2019年12月に武漢で発生してからうまく拡大を制御できなかったのは、専門家が判断を誤ったこともあります。ウイルスのサンプルを採取してから病因を究明し、いかにその拡大を抑えるかに注力するのではなく、まず論文発表を先行させようとしましたから。もちろん、専門家の道徳的な無責任とともに、湖北省や武漢市の指導部が官僚主義に陥り、いつも通りの〝自画自賛状態〟へと持っていこうとし、暴発的拡大を未然に防ぐチャンスを逃したのも大問題ですが。

金　つまり、「隠蔽体質」のせいだということですか？

袁　そうです。真相についてふたつのことが言えますね。

まずひとつは、武漢の医師たち、たとえば最初に新型コロナの流行を疑い、そしてその戦いの渦中で命を落とした李文亮（リーウェンリャン）さんらは、このウイルスが拡大した際の恐ろしさについてわかっていました。事実、李さんら8人の医師は、新型コロナウイルスについてウィーチャットで情報を流し、警鐘を鳴らしたのです。中央から派遣された専門家たちも、すぐに実験室でコロナウイルスの分離に成功し、国際学術誌に論文を発表しました。

かたやもうひとつの真相は、ところがこうした専門家と湖北省政府の責任者たちは、「ウイルスは人から人に感染することはない」「すぐに抑えることができる」と豪語し、感染の危険性を隠蔽したこと。1月20日以降になって、コロナ対策チームを率いることになる鍾南山（ジョンナンシャン）博士がその危険性を公表したことによって、中国人はようやく新型コロナウイルスの恐ろしい感染力を知りました。しかし、その時点ですでにウイルスの発見から半月以上も過ぎてしまっていたのです。

金　そう考えると、たしかに人災ですね。あいにく春節（旧正月）と大学生の冬休みが重なっていました。

袁　ご存じのように武漢は人口1000万人を擁し、中国の「ヘソ」といわれる大都会です。ちょうどこの時期は年に一度の中国人の大移動シーズンでしたが、本来なら国家指導部が感染拡大の阻止を最優先すべきでした。ところが、中国共産党がお家芸ともいえる「情報隠蔽」を行ったため、その機を逸してしまったのです。その結果招いたのが今日まで続く、中国全土のみならず全世界規模の感染拡大という最悪の局面でした。

ですから、これは明らかに「人為的な災害」と言わざるを得ません。武漢市と湖北省の専門家や指導部に対して、国民から非難の声が殺到していますが、当事者たちは責任逃れと言い訳に終始しています。つまり、上に対しても下に対しても虚言を繰り返すという、地方、中央を問わず党幹部の習慣となってしまっている〝悪癖〟が、このような事態を引き起こしたのです。

金　なるほど。しかも、真相を語った李文亮さんら8人の医師に対し、「デマを流布した罪」で懲戒処分を下しましたね。

袁　ええ。真相を公表すると、武漢市や湖北省のこれまでの偽りの政治的功績が吹っ飛ぶので、こうした処分を下したのです。金さん、ご存じですか。ちょうどウイルス感染のリスクがあったにもかかわらず、1月18日、武漢市政府は4万人の家族が一堂に集ってお祝いをする、いわゆる「万家宴(ワンジアイエン)」を盛大に行ったのです。
しかも、1月20日に党中央指導部の指示があってからも、湖北省の指導者たちは何ら行動に移しませんでした。これは指導者失格ですよ。その後、1月20日から22日、武漢に滞在していた香港大学のウイルス専門家、管軼(グアンイー)さんがマスコミに新型コロナウイルスのことを発表してもなお、呆れたことに武漢当局は何もやっていません。最低レベルの警報すら出していなかったのです。1月23日、党中央の高官が来て、ようやく「封城」が決断されました。

実務面は〝無能〟、人道主義的側面は〝無情〟

金　中国は2003年のSARS(重症急性呼吸器症候群)の経験もありますから、もう少し有効なやり方で新型コロナウイルスを封じ込むことができたはずですが……。

袁　まさか(笑)。そんなこと、まったくありません。21世紀が始まって20年のあいだに世界で発生した3回の大流行病のうち、2回は中国で発生しています。本来、中国政府がその教訓を十分に生かしてしっかりとした対応策があってもおかしくないのに、まったくの役立たずでした。

中国はいまやGDP世界第2位の大国で、ITなど最先端テクノロジーも発達していますが、その反面、精神性はかつての農耕文明レベルで止まったまま。全体主義的な垂直命令型社会で一見効率がよさそうに思えるかもしれませんが、実は無能で、かつ無情です。

一部の民族主義者はネットやウィーチャットで、日本の新型コロナウイルスへの対応についてバカにしていますが、日本国民の資質、成熟した科学的、理性的対応力は、中国と同じレベルではありません。中国は中央、地方が力を合わせた挙国一致体制で武漢を全力で支援しています。国民も「武漢加油（ジアヨウ）」（武漢がんばれ）とエールを送り、医者、看護師、物資などが、武漢に洪水のように投入されました。しかし、私たちがそのあとに見たのは、山積する支援物資、麻痺状態の物流です。救援物資もマスクも、まったくスムーズに流通できませんでした。

しかも事前準備のないまま都市を封じ込めたため、交通も産業もストップしてしまい、現場で働く医師、看護師たちの出勤すらままならなかったのです。彼らには、最低限のマスクや防護服などが完全に不足していました。

金　ひどい状態ですね。ただ、武漢では1月23日に封鎖してから、わずか10日間という驚異のスピードで病院を建設したはずでは……。

袁　建てることは建てましたよ。でも、ただそれだけ（笑）。実際に使用してみたら、あちこちからボロが出ました。そもそも、日本の災害時のように体育館や公民館など公共施設も、満足に活用できません。武漢では、２００３年にＳＡＲＳが発生したときの北京のやり方を、ただ単純にまねしただけ。感染者数の統計すら満足に取れませんでした。

新型肺炎への稚拙な対応により、武漢市政府はスローガンだけは一丁前だが、実務面は〝無能〟、人道主義的側面は〝無情〟だということが明らかになってしまいました。このように、中国の全体主義による統治の失敗により、西洋からも批判を受けただけでなく、敵視されるようにすらなったのです。いま、欧米では新たな「黄禍論（こうかろん）」が唱えられるようになっています。

欧米で巻き起こる21世紀の「黄禍論」

金　黄禍論といえば、19世紀末期、日清戦争あたりから日露戦争を経て１９２０年代にかけて西洋で流行した「黄色人種は世界に災いをもたらす」という思想ですよね。

袁　ええ、そうです。当時、西洋人は日露戦争で初めて白人に勝利した日本への警戒を一気に強めました。端的に言えば、日本人の能力を恐れた「人種差別思想」です。しかし「新しい黄禍論」は、言うまでもなく中国人の悪印象から生まれたものです。そもそも近年の中国の対外拡張に対し、各国とも警戒心を高めていました。さらに、今回の新型コロナウイルスの拡散によって、世界の人類に大きな脅威を与える伝染病の発生源は中国であるという事実が世界中に知れ渡り、黄禍論が復活したわけです。かつての日本人は、恐ろしいほどの武士道パワーで、ある意味ではポジティブな「黄禍論」の対象になったといえます。しかし、現在の中国人はウイルスの病原という、非常にネガティブな「黄禍論」の対象となったわけです。

金 それは、理解できます。あのグロテスクなコウモリをはじめとする野生動物を、中国人は好んで食べるんですね。

袁 本当、よく好んで食べますよね（笑）。SARSは2002年に広東で発生しましたが、広東省ではあらゆる食材のなかでも野生動物を好んで食べる習慣があります。当時、ハクビシンやネズミなどの野生動物を食べる習慣からSARSが発生したのは間違いありません。今回武漢では、コウモリを好んで食用にするから、そこからコロナウイルスが人にうつったようです。

金 コウモリは4000種類もの病原菌の持ち主で、普段は洞窟のなかに棲む夜行性動物ですから、本来、人とあまりかかわりたくないらしいのですが……。

袁 そんな人嫌いの野生動物を食べるから、いけないんですよ（笑）。まったくの自業自得と言えますし、西洋からウイルスを伝播する黄色人種だと嘲笑されるのも、ある意味仕方ありません。その口実を与えたのは、われわれ中国人なのですから。

前近代的な習俗から生まれた「中華人民病気共和国」

金 これに関連して、2020年2月3日付『ウォール・ストリート・ジャーナル』に、アメリカの政治学者が「中国はアジアの病人」（China Is the Real Sick Man of Asia）という文章を発表しましたね。100年前、アヘンに溺れた中国人を指して使われた蔑称「東亜（とうあ）病夫（びょうふ）」の復活という感じでしたが、袁さんはどう考えていますか？

袁 たしかに衝撃的なタイトルですが、反論するのは容易でしょう。ひと言「人種差別」だと。しかし、このような論考もある意味われわれ中国人の現状を映し出しているので、反省材料にもすべきではないでしょうか。
金さんのおっしゃる通り、かつて清朝末期から1940年代の中国や中国人に対して、西洋の人たちは「東亜病夫」と蔑（さげす）みました。アヘンで痩せて無気力、病弱な中国人を指した言葉です。しかも、中国人は体が衰弱したというだけでなく、その思想や精神も閉鎖的で無知蒙昧（むちもうまい）であるという意味も包含していました。

いずれにしても、奇妙でグロテスクな野生動物を「体にいい」とか「福をもたらす」と信じて食べるという、前近代的、民俗的迷信の思想はたしかに、いまの西洋の合理的な科学主義とはまったく相容れませんし、西洋人が恐ろしいという思いを抱くのも、ある程度理解できますね。

金　同感です。先日、日本での講演の後、ある日本人から「中国人はなぜ世界的大国として近年、目覚ましい発展を遂げているにもかかわらず、世界の文明に貢献するどころか、逆にＳＡＲＳや新型コロナウイルスのような病原菌を世界にまき散らすのですか」と聞かれました。

袁　たしかにそうです。その質問には一理ありますね。実際、ＳＡＲＳ後の中国の新聞報道を見ると、いくつか実証的なデータが掲載されています。

たとえば新華網ネットの報道によれば、中国の慢性B型肝炎保菌者数は1億３０００万人に達し、30％から50％の患者は母胎感染だそうです。広東省の感染率は17～18％（全国は9・75％）で、6人に1人が保菌者となります。

もうひとつ、中国新聞の報道によると、中国の石炭算出量は世界の35％を占める一方で、炭鉱事故での全世界での死亡者に占める中国人の割合は8割にも及ぶとのことです。その死亡率は、インドの10倍、南アフリカの30倍、そしてアメリカのなんと１００倍にもなっています。

また、中国の結核保菌者は5億５０００万人、つまり中国人のほぼ2人に１人。あるいは、大学生のエイズ患者数が日本の１００倍、糖尿病患者は４０００万人、肥満症が3億人で、6億人が歯みがきをしないというデータもあるんですよ（笑）。

金　まさに「中華人民病気共和国」ですね（笑）。「アジアの病人」という蔑称から何を学び取るべきでしょうか？

袁　反省すべきことは山ほどありますが、急務のことだけ述べましょう。

まず、中国人の食習慣を変えなければなりません。『史記』にも記されていたように、中国人は「民以食為天」（民は食をもって天をなす）、つまり「庶民にとって食べることが一番大切」という伝統があり、食に命をかけるDNA的な習性があります。

しかも、ただでさえそうなのに、ことに近年、人気の「舌尖上的中国（シェジエンシャンダジョングオ）」（舌で味わう中国）のように、中国人の食への欲求をあおるテレビ番組が多いのが懸念されますね。ネットやテレビで大金を投じて中国人の奇妙な食習慣、とりわけ野蛮な食べ方を大げさに喧伝するのは非常に問題です。コウモリやセンザンコウ（穿山甲）のような野生動物を好き好んで食べるのは、中国人の「恥」であり、「罪」であるとさえ言えるでしょう。

食べることにことさらこだわるのは、心理学的には幼さ、未熟さの表れとされます。国民の幸福、豊かな生活の質と野生動物を食べることは、まったくリンクしません。何でも食べる中国人の食習慣により、自身の健康を損ない、さらに今回のような新型コロナウイルス騒動を引き起こしたのは、ひとえに自然界からのすさまじい報復なのです。これが、中国人にとって最大の教訓ではないでしょうか。

前回のSARSや現在も進行中の新型コロナウイルスの発生源になったということは、中国人は21世紀においても野蛮で文明の程度が低いということを、世界中に自ら証明してしまったことになるのです。

西洋、日本に蹂躙された歴史とコロナ騒動の共通点

金 袁さんは歴史学者として今回のコロナウイルスについて、どんな教訓を後世に残したいですか？

袁 ご存じのように中国の近代史は、中国人にとって「暗い歴史」「西洋列強に打ち負かされた歴史」です。中国の教科書でも、中国がそのように各国にいいようにやられた理由を西洋帝国主義や日本軍国主義のせいにしています。ところが、そこには肝心なものが欠けて

います。自省の念です。これこそ中国人の悪習のひとつですね。絶対に謝りませんし、反省、自己批判もしません。

「以史為鑑」（歴史を鏡にする）を叫びながら、中国人は歴史の真相を常に歪曲し、すべてを他者のせいにするだけでなく、自らの過ちを棚上げしたまま、その他者を敵視しがちです。しかし、こうして反省しないでいる限り、真実は見えてきません。

では、中国が近代100年の歴史において、西洋や日本に蹂躙（じゅうりん）され続けた本当の原因はどこにあるのか。それは、明らかに文明の進化の遅れです。中国は、西洋近代文明から遠く置き去りにされていました。

その理由となるポイントだけを述べましょう。

①個人の自由と尊厳がないがしろにされ続けてきたこと
②自由な経済活動の欠如
③言論と思想の自由の欠如
④司法の独立がなく、皇帝が絶対神的存在であり続けたこと
⑤論理性と科学主義の欠如

以上の5点は、中国社会に歴史的に備わっていた根深い問題です。さらに、近代以降の弊害として次の2点が挙げられます。

①西洋の近代文明を忌み嫌い、変革を拒否したこと
②革命と権力闘争に明け暮れ、適切な社会制度の構築を怠ったこと

金 今回の新型コロナウイルス禍は、庶民のグロテスクな食生活から広がりを見せたことは事実ですが、先ほど「まぎれもない人災」と言ったように、根本的な原因は中国共産党一党独裁体制の失策と無能にあるのです。

正鵠(せいこく)を射た指摘ですね。では、習近平(シージンピン)体制自体の病根はどこにあるのでしょうか？

命をかけた告発者たちから学ぶべきこと

袁 ご存じのように、西側諸国では「コロナウイルス事件は中国型独裁が生んだ病気だ」と見なされています。武漢発新型コロナウイルスの全世界的拡散の経緯を見て言えることは、習近平国家主席は自分自身の統治力を高めるのを最優先にして、感染症の徹底した拡散防

止ではなく、言論統制、情報の封じ込めに注力したことこそが諸悪の根源だということ。前に述べたように、2019年12月に李文亮さんなど武漢の医師たちがウィーチャットを利用して新型コロナウイルス感染者を確認したという警告を発していました。しかし、習体制はその大切な情報を隠蔽し、あろうことか彼らを処分してしまったのです。李医師はその後、新型コロナウイルス症に感染して亡くなります。そして、彼の死を知った国民は、そこで初めて習体制に対する大きな怒りの声を上げたのです。

陳秋実（チェンチウシー）さんという若い記者も自ら武漢に入り、スマホで現地の状況を撮影しながら果敢に情報を公開しましたが、いつの間にか彼は姿を消しました。ネットでは、陳さんは警察に「強制隔離」されたと噂されています。

金　陳さんは、政府の公表した数をはるかに上回る死者が火葬場に送られたとも言っていましたが……。

袁　彼は「私は感染しても、政府に逮捕されても怖くない」と語っていました。武漢市在住の著名な女性作家、方方（ファンファン）さんも封鎖された都市の様子を描いた「武漢日記」をウィーチャットなどで発表し、現地の状況とともに中国共産党体制を批判しています。

金　習政権の独裁は毛沢東的だと指摘する声も多いですが、袁さんはどう思いますか？

袁　言論統制、愛国教育、情報隠蔽……。これらは明らかに毛沢東時代と似ていると思います。

いまや鄧小平、江沢民（ジァンズーミン）、胡錦濤（フーチンタオ）時代よりも、はるかに寛容さと自由がなくなってしまいました。歴史、とりわけ近代史を扱った書籍を1冊出版するだけでも、政府は厳しく検閲をしますからね。

金　その理由は何なのでしょうか？

袁　毛沢東や鄧小平のような政治的能力、権力基盤、そして自信が欠けていることを自覚しているからでしょう。だからなおさら、強圧的な姿勢で国民をコントロールしようとするわけです。

中国は、いまだに寓話『裸の王様』やジョージ・オーウェルのディストピア小説『一九八四年』の世界のまま。しかし、私を含む大多数の国民は、このような荒唐無稽な体制が中国大陸を支配し、不条理に満ちあふれている状態を本当は拒否したいのにできないでいる。それが中国の一番の悲しみではないでしょうか。

金　袁さんは知識人として、中国の体制や国民にどんなことを望んでいますか？

袁　私は、もはや89歳の超高齢者です。残りの命はそれほど長くないと思います。ですが、中国共産党による一党独裁体制を根本的に変革することが、私の最後の希望です。

そのためにはまず、狭隘（きょうあい）な民族主義、国家観念から抜け出すことが必要でしょう。中国共産党のこれまでの過ちは、資本主義や知識人をむやみに敵視したこと。これは非常に愚かな行為でした。ですから、これからは言論の自由と情報公開を徹底しなければなりません。

さらに、ここまで述べてきたグロテスクな食習慣をはじめとする中国の前近代的習慣や考え方を断ち切るべきです。そのうえで、中国の体制改革に向けた動きを起こさなければなりません。

中華民国時代の思想家、学者で、戦前にノーベル文学賞にノミネートされたこともある胡適は、1919年にこう訴えました。「文明は抽象的な過程で完成されるものではなく、具体的に一点一点積み上げて完成するものである。進化もそうであるように」と。

われわれは、いまこそさまざまなジャンルで制度改革を進めるべきです。これこそが、中国の未来へとつながる道となります。

40年来の改革開放の歴史的経験から導き出せる金科玉条は、次のようになるでしょう。

①民主主義、法治主義で穏健な社会をつくること
②自由は人間の尊厳と幸福を保証する土台であること
③世界に受け入れられるよう努力すること

一番大切なこと、それは100の言葉よりも、たったひとつの実践なのです。

理由 2

中国共産党は70年以上にわたり「違法」「不法」状態である

～法的な面から鋭く突いた一党独裁の根本的過ち～

賀衛方（が・えいほう）

ホーウェイファン

北京大学法学部教授。批判的知識人の旗手のひとり。
1960年、山東省生まれ。82年、西南政法学院（現・西南政法大学）卒業。85年、北京政法学院（現・中国政法大学）で修士号取得。95年から現職。中国共産党員でありながら、党や法治、言論の自由に関する批判や提言を続けている。

主な著作――『外国法治史』『美国学者論中国法律伝統』『法辺余墨』『中国法律教育之路』など。

北京大学法学部の賀衛方教授は、中国共産党一党独裁体制に公然と異議を申し立てる知識人のシンボルであり、おそらく現在、中国政府が最も怖れる反体制の学者である。

その一方で、素顔の賀さんは、山東省出身のハンサムな男性で、きさくな性格の持ち主でもある。

「金さん、私は日本を何度も訪れた、大の親日家ですよ！神田神保町の古本街は世界一、さすが日本人は読書が好きな教養の高い民族ですね。東洋文化の大家、内藤湖南(ないとうこなん)先生は私のあこがれの大碩学(せきがく)で、金さんが内藤先生の肉筆書を所蔵しているのは、非常にうらやましい！私も欲しいなあ、ハハハ」

紳士的な賀さんは同時に楽天家でもあり、このようによく笑う人だった。

2017年8月、台北で初めて会って以来、2018年、2019年、そして2020年2月に至るまで、微信（ウィーチャット）や電話で、私は何度も賀さんと対談をしてきた。そして、書や古本が好きな私たちは、いつの間にか友人になっていた。

私より2歳年上という同世代の賀さんと私は、価値観、思想的にも近いものがある。そのため、彼は何でも虚心坦懐(きょしんたんかい)に語ってくれた。

賀さんは言う。

「私は死んでも独裁主義に迎合しません。体制内にいながら、私の努力でなんとかして、法治と自由のために、この体制を変えることができるならば、これ以上の幸せはありません。だから、私はアメリカをはじめとする海外へ亡命せずに、このすさまじい現場で全体主義に向けて異議を唱え、声を発し続けます」

この英雄のいない時代に、ただひたすら果敢に体制に意見をもの申し続ける知識人……。彼はこのような使命を自ら背負った、数少ない良心的な知的エリートである。

さて、賀さんは一体何を語ってくれたのだろうか——。

鳥が空を飛ぶのを禁じ、人が地上を歩くのも禁ず

金　2019年9月27日、中国当局は賀さんの微信帳号（ウィーチャットの公式アカウント）を凍結しました。「またか……」とギョッとしたのですが、翌10月1日の中華人民共和国

賀　建国70年と前後して、言論弾圧やその統制が一段と厳しくなりましたよね。いままで数え切れないほど賀さんのブログや微博、SNSなどを封殺してきましたが、やはり賀さんの勇気ある言葉を、当局は〝目の上のたんこぶ〟と感じているのでしょうか？

たしかに「また来たか」という感じです（笑）。凍結の理由はなんと「悪質なデマなどを流布する違法の内容」というようなものでした。ご存じの通り、私が発信するのは常に真実だけ。デマなど流した覚えはまったくありませんが（笑）。

以前から何度も、私が何らかの文章やコメントを発表するたびに、内容が違法だとの理由でアカウントが停止されました。これは、もちろん内容とは関係なしで、私の発言自体を封じ込めるのが目的です。最初は大変苛立って反論もしましたが、いまやもう慣れてしまいました。ウィーチャットを管理する会社「騰訊」（テンセント）自体が、習近平（シージンピン）体制の事実上の秘密警察のような〝怪物〟ですから……。

金　ある種、ナチスのゲシュタポ的な機関でしょうかね（笑）。

賀　そう言っても過言ではないでしょう(笑)。私は2017年5月にも同じような「言論封殺」があった際に、朋友圏（モーメンツ＝自身の写真や文章を仲間と共有できるウィーチャットの機能）にこんなことを書きました。

「仮に世界中のニワトリをすべて殺しても、夜明けは阻止できない。なぜなら太陽はまた

2010年にノーベル平和賞を受賞した劉暁波が2008年に発表した、一党独裁の終結などを求める「08憲章」にいち早く署名するなど、柔和な表情の下に固い意志を秘めた人物、それが賀衛方（左）だ。

昇り、空はまた光で照らされるのだから」
ただ、私は今回の当局の仕打ちに心底がっかりしました。もはや何も発言できないよう半永久的に言論封殺されたので、真っ暗なトンネルのなかをさまよう感じです。現在、政治的発言はもちろん、一般の学術雑誌などで論文も発表できなくなりました。

金 賀さんの弟の賀維彤（ホーウェイトン）さんも、当局に拘束されたニュースをネット上で見ました。なぜ、弟さんまで捕まえなければならなかったのでしょうか？

賀 拘束の理由は、ウィーチャットでテロリスト的な過激な内容を流布したとされています。弟は過激な言論はあるにしても、テロリストではありません。２０１９年9月12日に朋友圏で、ＩＳＩＳ（イスラム国）が一般市民を惨殺する映像を流しただけです。彼は出版人であり編集者でありブックカバーデザイナーであり、テロリズムを憎む人間です。この罪はあり得ませんね。

金 中国当局が、言論をここまで厳しく規制するのは、一体何を恐れてのことだと思いますか？

賀 おそらく私の名前3文字自体が、習体制当局にとって一種の恐ろしさのシンボルなのかもしれません。当局は、われわれのような申す批判的知識人は、すべて「木人（ムーレン）」、つまり何も語れない、笑えない、動けない木製の人形になってほしいんですね。北京は至るところ「天上禁鳥、地上禁行」（鳥が空を飛ぶのを禁じ、人が地上を歩くのも禁ず）の厳重警備状態です。ネットやスマホの言論統制は、かつてない厳しさを呈しています。

でっち上げの理由で弾圧を受ける暗黒時代の到来

金　「悪質なデマを流布した」ということに関して、当局は何らかの具体的な証拠や根拠を示しているのでしょうか？

賀　いいえ。そもそも、どんな基準で言論封殺を実施するのか、さっぱりわかりません。習体制が発足してから数年間、ウィーチャットを凍結された中国本土在住者はますます増えていますが、実際にその理由がわからない人も多いのが現状です。

ウィーチャットアカウントの封鎖は2種類あります。ひとつは暫定的、つまり1日や数日たったら復活できるもの。もうひとつは、半永久的な封鎖です。これはアカウントの完全な閉鎖を意味します。今後、二度と使用できません。私がやられたのもこちらですね。

アカウント凍結に関して異議を申し立てることができるという表示も出ますが、しかし言われた通りいくら訴えても、回答はなしのつぶてです。「悪質なデマ」について、何がそれに当たるのか、また、「悪質」の基準は何なのか。当局は一切答えを出しません。

それではこの際ですから、こちらから言わせてもらいましょう。いわゆる「悪質なデマ」

とは中国共産党政府を批判したり、彼らとは異なる意見を語ったり、体制側が極力隠蔽しようとする社会の真相を暴露したりすることです。

これらの言論や情報に対して「悪質なデマ」と言うのは、まぎれもなくでっち上げにすぎません。言論の自由に対する異法な蹂躙（じゅうりん）です。そうした彼らのでっち上げこそ、「悪質なデマ」ではないでしょうか？

金　中国の知識人は、まさに「万馬斉暗」（一斉に鳴りをひそめる状態）の時代に入りましたね。

賀　そうですね。私だけではありません。周りの友人のリベラル派の知識人も皆やられているのが現状です。清華大学歴史学部教授で、思想家の秦暉（チンホイ）は圧力に耐えられず香港の大学に転職。中国人民大学の張鳴（ジャンミン）教授（「理由7」参照）は定年を繰り上げて退職。私の同僚の張千帆（ジャンチエンファン）、許章潤（スージャン）といった教授たちも、ウィーチャットアカウントを封鎖されたり、言論の弾圧を受けたりしています。あるいは、清華大学の郭于華（グオユーファ）教授（「理由4」参照）や中国社会科学院の于建嶸（ユージャンロン）教授も、常にアカウントを取り消されたりしています。

私たちは、ちょっとでも発言したりすれば、すぐさまアカウントを止められたり、公安（警察）に呼ばれたりしているのが現状なのです。同じく私の同僚の夏業良（シァイエリャン）教授は、党の話を聞かないという理由で公職から追放されてしまいました。

金　この前、郭于華さんにウィーチャットを通じて質問しようとしましたが、彼女のアカウントが存在しないことを示す赤いビックリマークになっていました。

賀　誰もが排除されたり、言論空間が狭められたりするなど、いまはまさに毛沢東の死後、中国大陸の知識人にとって最も暗黒な時代です。ただし、沈黙を守るのはもってのほか。私はこの数年、言論を発表するチャンスがほとんどありませんが、それにしても意見を述べ続けなければいけません。

「廃言」から生まれた新型コロナによる「肺炎」

金　いま新型肺炎、つまり新型コロナウイルスによる感染症が猛威を振るい、全世界を危機に陥れています。そのようななか、賀さんが2月17日に手書きで書かれた肺炎の対策に関する文章が、ネットで広く話題になっていますね。

賀　ご覧になりましたか。ありがとうございます。今回の新型肺炎であっという間に武漢や中国の人たちが命を奪われ、しかも新型コロナウィルスは飛行機やクルーズ客船で運ばれ、全世界のすみずみまで拡散しています。各国では対応に追われ出入国禁止の措置をとるなど、まるで大昔の鎖国時代に後戻りしたような感じです。

金　なぜここまで拡散するのを中国当局が阻止できなかったか、理由はどこにあると思われますか？

賀　これほどの世界的大惨事を招いた原因は、いまだに謎に包まれています。ウイルスがどこから来たかもはっきりしません。しかし、２０１９年12月の初旬に最初の感染者が発見されてから、２０２０年１月20日の情報公開に至るまで、２カ月近く武漢市民はウイルスの発生をまったく知らずに、移動したり飲んだり食べたりしていましたね。

党の報道機関はいいニュースだけを流していましたが、このような表向きの平穏状態のもとで致死的なウイルスがすべての人々の家に忍び込んだわけです。事実、２月15日に中国共産党の機関誌『求是（チョウシー）』に掲載された、２月３日の党中央政治局常務会での談話において、習近平がいかに肺炎の抑制について繰り返し指示を出したか強調しています。

しかし、そのなかに書かれた１月７日の習氏の指示について、中国共産党系のマスコミは「留中不発（リウジョンブーファー）」（しばらく発表しない）という措置をとったようです。これでは、全国民が肺炎の真相を知れるわけありません。習近平の談話のなかには、公開できない内容もあったのではないでしょうか。

ひと言で言えば、今回のパンデミックの根源的理由は、やはり言論の自由の欠如にあります。アメリカや日本のような自由主義国家であれば、テレビや新聞といったマスコミが肺炎の状況について自由に報道するでしょう。もちろん、政府の指示や許可を待つ必要などありません。

とにかく、真相、真実を話すことができる言論の自由、報道の自由が中国にはまったく欠けているから、こんな凄惨極まりない悲劇を招いてしまったのです。だから、私に言わせれば今回の「肺炎」は、一切の言葉を廃絶した中国共産党体制の「廃言」が原因の〝人災〟なのです。

金　なるほど。「肺炎（フェイイエン）」は中国語の発音表記がまったく同じ「廃言（フェイイエン）」に原因があるという話は面白いですね。賀さんは1960年生まれで、私とほぼ同世代ですが、どうして法律学を選んだのですか？

賀　実は、法学はとくに好きではありませんでした。私は金さんのように文学が好きで、大学受験時、人文学部か歴史学部を希望したのですが、届いた入学許可書を見たら、西南政法学院（現・西南政法大学）の法学部と書かれていたのです（笑）。

あとで知ったのですが、重慶にあるこの大学が私の故郷である山東省で17人募集したところ、1名不足していたので勝手に私を選んだということでした。まあ、運命のいたずらというか、運命的というか……。

金　こんなことから、のちに中国を震撼させる気鋭の法学者が誕生したんですね（笑）。

賀　金さんもご存じのように、私が大学に進学した1978年当時、中国における法学は文学や歴史、哲学とは違い、学問的にあまり成熟していませんでした。イデオロギー的な色が強すぎたのです。

ただ、知識欲と理想主義に燃えていた青年時代の私は、中国よりも西洋の法学、ことに外国の法制史に関心を持つようになったと同時に、法律史に関連する社会史、宗教史や哲学史などにも手を伸ばしました。その後、1982年に北京政法学院（現・中国政法大学）大学院の外国法制史専攻の修士課程に入学し、修了後はその大学の教員となったのです。

私は専攻分野の仕事も好きですが、法律を学術的に研究することの社会的価値について疑問もありました。ですから法学研究のかたわら、人文学の作品を広く渉猟し、たとえば古典文学のなかから新たな知見を得たりもしたのです。

こうしているうちに切々と感じたのは、書斎のなかで得る知識と社会的知識とのあいだには大きなギャップがあるということ。そこで、このギャップを埋めるため、研究活動と社会的活動を並行して行うことにしたのです。

こうして法学の研究を進めるうちに、1990年代になると西洋の法律の規範が私の思考や価値観の中心になります。すると、本当の法治社会とは何なのか、なぜ司法の独立が必要なのか、といった観点から中国が直面する問題について考えるようになったのです。

私が中国共産党は違法だとする本当の理由

金 なるほど。とりわけ賀さんが注目を集めたのが、2006年春、北京で行われた政府系の会議で「中国共産党は違法な存在だ」と主張したことです。中国の政界とアカデミズムを震撼させましたね。

賀 ええ、内部座談会でのことでした。2006年3月4日、国務院のシンクタンク「中国経済体制改革研究会」（体改会）の高官が、国内の改革派学者40人を召集して、中国改革をテーマに議論したのです。

会長の経済学者、高尚全（ガオシャンチュアン）さんが「自由に本音を言っていい」と出席者にはっぱをかけたので、私は平素考えていた問題点を率直に発言しました。具体的には、中国共産党という統治体制自体、憲法違反の行為を繰り返しているとしながら、こう述べたのです。

「中国共産党宣伝部、共産党青年団中央宣伝部、そして中国共産党は公式に団体登録をしていません。民主国家で最も基本的なことは、こうした組織、団体は法的資格を持たなければならないということです。このような条件をクリアしたうえで、法的に起訴したり、起訴されたりという権利や義務が発生します。しかし、残念ながら中国共産党はそのような権利も資格も持っていません。

私は中国共産党に加入して20余年になりますが、いまだに党が公式に団体登録をしていないというのは、非常に問題です。一体この組織が行使できる権力は、何で担保されているのでしょうか。これは明らかに違法な権力です。つまり、中国共産党の現状は厳重極まる違法状態なのです」

金　ここまで法的な観点から、中国共産党の存在の違法性、違憲性を指摘した知識人はいままでいませんでした。それとともに、賀さんは「多党制」も訴えましたよね。

賀　そうです。私はこう言いました。

「われわれ中国は、いまどこに向かっているのか、はっきりわかりません。しかし目標はあります。多党制、言論・報道の自由、真の民主主義、そして真の個人の自由を実現すべきです。国家の権利は、あらゆる個人の自由を保障したうえで成立させなければなりません。いま、こうしたことは大っぴらには言えませんが、将来は必ずこの道を行かないといけないのです」

さらに、次のように続けました。

「はっきり言って、共産党はふたつの派閥に分かれたほうがいいでしょう。人民解放軍も党の軍ではなく国軍にすべきです。また、法律的には何の地位もないにもかかわらず、メディアをわがままに操る組織が存在しています。こんな体制とは、一体何なのでしょうか。

自らの『憲法』に違反する、まさに自縄自縛の行為ではないでしょうか」

金　確実に死刑が宣告される大胆な発言ですね（笑）。だからネットでは左派（保守派）に猛烈に批判されました。「賀衛方の最終目標は共産党を消滅させることだ。それがすぐにできないのであれば、党をふたつに分裂させ、報道の自由などを推進する。つまり実質的には、資本主義社会を全面的に実現することだ」と。
　その一方で、賀さんの意見は改革派、リベラル知識人から強い支持を得ました。賀さんが提起した「多党制、言論の自由」といった理想は、多くの中国人は心のなかで望んでいるものの、口に出して言えないだけだと。

賀　その通りです。当時、私の意見に対し賛否両論ありました。中国のような体制下で生まれ育った人にとって、当然といえば当然でしょう。ことに毛沢東の影響や中国共産党のプロパガンダを信じて育った人にしてみれば、私が敵、反逆者として映るのもむべなるかなといったところです。
　ただ実際にネットを見ると、中国の市民は人民元紙幣に「天滅中国共産党」という文字を打ち込んだ画像をアップしていたり、中国共産党の独裁に対する憤りを表明したりしていました。また、中国政法大学の李曙光教授によると、中国ではこれまで３０００万件以上の国の不法、不当に対する訴えがあったとのことです。

毛沢東の遺産は、経済的貧困と独裁体制に尽きます。中国共産党は一党独裁をずっと堅持しているので、国民の不満は実はかなり大きくたまっているわけです。

習近平体制は「法治」と「自由」の墓場である

金　賀さんは、さらに中国の法律についても問題を提起していましたよね。

賀　中国の法治は1840年のアヘン戦争以降、清末の1902年に行われた改革を除いてまったく進化してません。実は清朝と現在の中国共産党体制は非常に類似していて、政治体制、憲法改革を棚上げしたまま、独裁政治ですべての問題を解決しようとしています。しかし、これでは中国は世界から尊敬を集める国になれません。そうなるためのカギは、やはり何と言っても法治社会へと変貌を遂げることなのです。

私が提起した七大問題は次のようなものです。

①中国の権力構造自体が違憲であること。たとえば党と議会との関係、党と司法との関係、党と政府の関係それぞれが曖昧なままであることを、もはや放っておくわけにはいきません。

②全国人民代表大会（全人代）が、議会としての体をなしていないこと。全人代は毎年1回行われる世界最大のパーティーにすぎません。省や自治区などの代表が大会に参加しても、そこでは何ひとつ政治的な決定はなされないわけですから。

③憲法第35条で規定されている政治的権利が、まったく実現していないこと。結社の自由やデモの自由、宗教の自由などはもとより、基本的人権すらありません。

④独立した司法体系が存在しないこと。世界的に見ても、中国のように最高人民法院（最高裁判所）の裁判官が警察のトップに仕事の状況を報告することなどあり得ません。さらに最近、司法に対する党の干渉がより強まっており、これは大きな問題です。

⑤党の指示が法律より強いこと。たとえば最高人民法院によると、民家の立ち退きに関する訴えは法廷では一切受理しないといいます。つまり、中国の法院は自分の仕事すらやりたがらないのです。

⑥農村の土地問題。これからは土地の公有制を私有制に変更すべきです。さもないと農民は、いま以上に大きな損害をこうむることになります。

⑦貿易・安全保障問題の解決。これも司法の独立問題に密接に関係があり、法律を明確にすることで、中国の対外的な諸問題の解決につながります。

金　たしかに、この7つの問題の解決は、中国にとって急務だと思います。ただ、実現可能性はあるのでしょうか？

賀　いまのところ、習体制になってからは問題の解決どころか、ますます独裁を強化していきます。この独裁体制が継続する限り無理ではないでしょうか。

金　国際社会では、習近平は「第二の毛沢東」だと酷評されていますが、賀さんの目から、習近平はいかなる人物に見えますか？

賀　彼は2018年に憲法を改正してから、公然と毛沢東のような絶対的権力を持つ全能の統治者を目指しています。彼にとって最も大きな狙いは、何といっても中国共産党統治体制の維持です。
数々の毛沢東式の支配手段によって、法律や憲法をないがしろにしてでも自分を絶対的存在へと祭り上げています。まるで、人々が皆、口をふさがれ何も言えない「文革時代」を彷彿(ほうふつ)とさせる弾圧体制を形成しているのです。

金　江沢民(ジアンズーミン)や胡錦濤(フーチンタオ)の時代は、わりと柔軟な支配でしたね。

賀　先ほど私が語った内部座談会で大胆な提案や批判をしたのは、ちょうど「胡温新政」と呼ばれた胡錦濤国家主席と温家宝(ウェンジアバオ)首相の政権時でした。やはり鄧小平の80年代以来、それなりに自由があった時代だと評価できます。

しかし、習政権が発足すると、最初は期待は大きかったと思いますが、いまでは失望せざるを得ませんね。

金　日本でも、習近平はそもそも最高指導者に必要な能力がないと言われていますが……。

賀　まあ、いまや文化大革命すら反省済みの21世紀に、毛沢東のような極端な独裁政治を行おうとするその行動からも、彼の才能やレベルがいかなる程度かは、口に出さなくてもおわかりでしょう（笑）。

金　なぜ、毛沢東式支配の過ちを中国は繰り返すのでしょうか？

賀　日本の首相、吉田茂は『激動の百年史』で次のような指摘をしています。すなわち、中国ではかつて、非常に偉大で周囲からも尊敬される文明が生まれたが、しかし、彼らは世界の合理的な発展目標を追いかけず、ずっと古い枠のなかでくるくる回っている、と。

習体制のような第二の「毛沢東時代」が生まれたのは、まさに吉田茂が喝破した理由からです。一党独裁、個人崇拝、言論弾圧といった過ちを何度も犯すのは、中国民族の大きな悲哀としか言いようがありません。習体制は「法治」「自由」の墓場です。ですから私は、一党独裁、個人崇拝の支配体制は、速やかにやめるべきだと思います。

「中国夢」と「反腐敗」という偽りの看板

金　習近平が提唱した「中国夢（ジョングオムン）」は、海外では「美国夢（メイグオムン）」（アメリカンドリーム）のパクリだとも言われていますが、賀さんは「中国夢」についてどう考えていますか？

賀　「アメリカンドリーム」のパクリであるかどうかはわかりませんが、要は「中国夢」の内容は、あまりにも民族再興、大国の復活に片寄りすぎています。経済にばかり重点を置いていて、肝心の「夢」が持つ価値観、あるいは国民のための社会的目標は何か、といった点については語られていません。ですから、隣国からも一種の「脅威」として映ってしまうのでしょう。

近代国家として最も重要な目標は、いかに国民一人ひとりに尊厳、プライドを抱かせ、その創造力を自由に発揮させるか、ということです。当然、個人の自由と権利がしっかりと保障され、政府の権力がしかるべき制限を受けることになります。そして、司法の独立と公正を実現し、国民は自分自身の権利を守ってくれる国家に忠誠心を持つようにすることが、大事な課題、目標となってくるのです。

日本やアメリカなど先進国家は、こうしたモデルとなっています。ですから、このような具体的プランを達成するための努力を惜しむのなら、「夢」は寝ている間に見る単なる「夢」で終わってしまうかもしれません（笑）。

金　たしかにそうですね。

賀　中国の専制政権下では、政権維持のために表立って「大きい夢」を打ち出す慣習があります。鄧小平→江沢民→胡錦濤と、政権が交代するたびに打ち出される理念やスローガンはそれぞれまったく異なりますし、社会状況にそぐわない内容となっています。

日本のような国は戦後、「夢」などとごまかさずに着実に国民の生活と、個人の自由、幸福のために国家が主導してきましたよね。自由主義国家には、華麗な看板など、そもそも必要ありませんから（笑）。

金　中国では習政権の功績として「反腐敗」が高く評価されています。実際、中国の大学の学者や知識人のなかにも、習近平の「反腐敗」の成果を認める者が少なくありません。

賀　うーん（笑）。では、比較してみましょう。

中国でなぜ腐敗した政治家、官僚がこんなにも多いのか？

反対に、たとえば日本などの先進民主国家では、なぜ腐敗、汚職が少ないのか？

それは、中国ではそもそも官の腐敗を阻止する仕組みをつくれなかったからです。人民たちが腐敗した官僚たちを見て激怒したら、政府はそうした人たちを捕まえて見せものにする。「ほら、ヤツら腐敗官僚を抹殺したぞ！」と。すると人々は「よくやった！」と歓迎します。

しかし、よく考えてみましょう。そもそも、制度や取り締まりがきちんと機能していたならば、こんなにも多くの腐敗官僚が生まれるでしょうか？

アメリカや日本にも、官僚、政治家は数多くいます。ところが腐敗、不正で死刑になった人がいるなど、聞いたことありません。その理由は、当然のことながら、そもそもワイロを受けたり、不正、腐敗が許されるシステムではないからです。

その通りですね。

そうした民主国家の政治制度には、次の3つの要素があり、そのため不正腐敗を未然に防止できるわけです。

賀　金

①議会制度。政治家、官僚の働きを常に可視化できて、不正や違法行為をしたら規則にのっとって弾劾できます。

②独立した司法制度。政治家、官僚と司法が対等な立場のため、不正行為に対する大きな抑止力なります。

③報道の自由。メディアが自由に動き報道できることによって、政治家たちが不正、違法

行為をしづらくなります。

たしかに、お金や性的な接待などは人間の欲望を満たすものであり、人間とは欲望に弱い存在ですから、個人的に100%防ぐ術はありません。だからこそ、必要なのは、議会、司法、メディアという強力な監督システムなのです。

金　では、習体制の「反腐敗」はニセモノなのでしょうか。

賀　たしかに、習近平は政府や党内のあるゆる人を反腐敗闘争の対象にしているかのように見せますし、実際、容赦なく多くの大物を見せしめにしてきました。しかし、習本人の盟友やブレーンはひとりも、その対象にはなっていません。ですから、政治的能力が高い自身のライバルだけを標的にするのが、反腐敗の真の目的だということが世間に知られ始めています。

実際、中国人は官の腐敗に対して、すでに麻痺しています。彼らには、当然のことながら官僚や政治家を監督する資格も権力もありません。

逮捕する前は、優秀で人民の英雄であるかのように喧伝し、逮捕されてから「あ、実は腐敗した悪者だったんだ！」となる。その結果、大衆は当初は反腐敗闘争に快哉を叫んでいました。ところが、そのうち人々は、「こんなにいるということは、もしかして中国の官僚は全員腐敗しているんじゃないか?」と疑うわけです。だから、やがて反腐敗は大衆の失望を招きました。

「反腐敗」は政治改革でもなんでもなく、いまや一種のショーだと思われています。もし、本気で「反腐敗」を実施したら、信じられない数の官僚が死刑になるはずですから(笑)。

2000年前から誤り続けた中国の「法治」

金 中国の「法治」は、21世紀になっても達成されていません。私は何か伝統的な要因があるかと思いますが、賀さんはどう考えますか?

賀 2000年以上前の古代中国で、全国を郡に分けその下に県を置く「郡県制」という統治様式が導入されました。その結果、中国人は「国」に対する真の忠誠心を育む機会を逸したままなのではないでしょうか。忠君思想を声高く訴えたこともありませんし、反面、いつも君主を倒そうとする。そんなことを2000年以上、繰り返してきた国など中国以外にありません。

げんに日本人は、一度も天皇を倒そうとはしていないでしょう。ひとつの国の皇帝が、常に打倒される可能性があるということは、このようにとても悲劇的なことなのです。

また、地方自治も重要な問題です。日本には江戸時代には藩がありましたし、近代化する際にも、地方自治を着実に実現しようとしてきました。もちろん、中央集権化と並行してのことです。

これに対して、中国大陸にはそもそも地方自治がありませんでした。中国の州や県の官僚は、自分が統治する土地の人々と主従関係等があったわけではありません。地方官僚たちは、ただ、自身の上司、国としか関係がなかったのです。

それから、士農工商についても触れておきましょう。中国の士農工商は世襲的に継承する職業ではなく、常に流動的です。誰でも官僚になれる「科挙」試験は、たしかに社会の流動性に大きな役割を果たしました。

一方、日本の士農工商は、ご存じの通り非流動的なものです。その結果、日本には素晴らしい商業の伝統が生まれました。階級がほぼ変わらなかったので、それぞれの階級間で対抗と妥協のバランスがとれていたからです。それに対して中国社会には確固たる階級がないため、国のトップ、つまりときの政権と協力関係にありませんでした。で、結局何か問題が起きたら皇帝を倒す……。実は、これこそが大きな問題だったのです。

こうして、中国にはついに法治秩序が生まれませんでした。2000年前の社会システムから、すでに方向性を誤っていたのです。つまり、現在のさまざまな弊害は、過去

金　2000年間違い続けた歴史と非常に密接な関係があるといえます。では、賀さんは中国の法治や司法改革は、どうすれば実現できると思いますか?

賀　面白い見解ですね。2000年近い近代中国の歩んできた道を振り返ってみればわかるように、公正な司法制度を確立するのは、とてつもない難題です。もちろん、イデオロギーと政治体制の改革が重要なのは言うまでもありません。同時に裁判制度と検察制度の組織的、法的な改革も、法治秩序を確立するひとつの突破口ではないかと思います。

金　なるほど。最後に賀さんは、自分自身をどういう人物だと考えていますか。中国のいわゆるネット左派、日本でいうところのネトウヨは「賀衛方は、大陸最大の売国奴、反中国的人物」と罵倒していますが(笑)。

賀　ハハハ(笑)。そんなに高く評価されて光栄です! 私は自分自身を、体制内にいながら体制を批判する反体制的知識人ではないかと思っています。改革派の知識人は、共産党を離党したり、海外に移住したりしますが、私は海外で批判するのではなく、自分の信念をもって中国共産党の体制内にいながら発言し、批判をしていきたいですね。
なぜなら、遠い海外で叫ぶよりも、中国内にいながら発言するほうが、はるかに効果的だと考えているからです。その意味で私は、何度投獄されても国内にずっととどまって民主化、人権運動をリードし、2010年にノーベル平和賞を受賞した尊敬する劉暁波(リウシャオボー)氏のように、これからも司法、政治などを蝕(むしば)む中国の病根に対して戦い続けたいと思います。残念ながら劉さんは、2017年に国内で謎の死を遂げてしまいました。ですが、私は昨日までもそうですし、今日も、そして明日も、独裁主義のための賛歌を歌うことなど絶対にしません。そして体制内にいながら、体制に対して至近距離で批判をしつつ、しかも批判だけではなく、建設的な意見も出していきたいと考えています。

理由 3

いまの中国共産党の実態は社会主義の衣を着たナチスだ

〜アメリカから祖国を厳しく見つめる社会学者の警告〜

ジョウシャオジョン
周 孝 正
（しゅう・こうせい）

元中国人民大学社会学部教授。政治、経済、社会という３つの側面から中国社会の問題を分析するとともに、歯に衣着せぬ共産党批判で知られる。
1947年、北京生まれ。66年に人民解放軍瀋陽軍区の生産建設兵団に入隊。77年、北京師範学院（現・首都師範大学）物理学部に入学。81年に卒業後、88年から2007年まで中国人民大学で社会学を教える。同大社会学研究所長、国際関係学院外交学部主任などを歴任。研究テーマは人口、環境、資源、持続可能な発展などを含む人口社会学。16年、アメリカにビザの申請をし、翌年移住。現在、YouTubeチャンネル「文明客庁周孝正」などを通じて、中国関連の言論活動を行っている。

主な著作——『応用社会学』『人口危機』『社会調査研究』『実事求是的科学精神』『北京市居民安全感調査報告』『二十一世紀的中国人口和優生』など。

中国では、周孝正さんは著名な社会学者、辛口の批評家として知られており、「北京の名嘴(ミンズイ)」として高い人気を博している。「名嘴」とは名コメンテーターという意味。彼と対談しながら、さすが「青山流水(せいざんりゅうすい)」(立て板に水)のような早口で熱く語る雄弁ぶりには、誰もかなわないと感じたものだ。

「知識人とは何でしょうか。そもそも知識人、学者というのは体制におべっかを言う人種ではありません。知識人はしっかりと社会、体制を批判するために存在するものです。知識人が体制を批判しなければ、一体誰がするのでしょうか。労働者や農民たちに批判せよとでも言うのでしょうか。彼らは毎日のように重労働で疲れ切っているというのに……」

「知識人の知識人たる使命は批判にある」と明言し、実際に周さんは数十年来、自分の言った通りのことを実践してきた。

周さんが批判の対象とする領域は非常に多様である。社会、経済、文化、時事問題に至るまで、容赦ない批判を展開している。

無論、中国の現行の政治体制下において、周さんは常に非難、中傷を浴びてきた。ところが、周さんはまったくこれを気にしない。

「反論があったり、違った意見があったりするのは、きわめて正常な状態だと言えるでしょう。思想が皆一緒だったら、怖いじゃないですか。やはり、こう考えないといけません。すなわち、あなたの観点には同意しないけれど、あなたの話す権利は守ってあげよう、と」

周さんは、すでに70代も半ばだが、健康で明るい性格の闊達(かったつ)な男だ。

「中国の社会は暗いけれど、人間くらい明るくいるべきじゃないでしょうか。げんに、私の心のなかは陽光で満ちあふれています」

そう言いながらゲラゲラと大笑いする。

北京、そしてアメリカに渡ってからは電話で行った周さんとの対談は、実に愉快かつ示唆的なものとなった――。

「新型コロナの発生源は外国である」という官製デマ

金　新型コロナウイルスの感染源であるにもかかわらず、中国では「状況はいい方向に向かっている」という習近平(シージンピン)国家主席の意向に沿った見方が広がっています。アメリカやイタリア、ブラジルなどへの世界的な感染拡大が止まらない現実を目の前にして、中国は全世界に対する謝罪のひと言もありません。当然、世界からひんしゅくを買っていますが、周さんはどう考えていますか？

周　正確に言えば、謝罪すべきは中国ではなく、中国共産党政権ですね。しかもおっしゃる通り、謝罪どころか、公然と自画自賛するという恥知らずな茶番劇を演じています。習政権は国内の経済や政治の安定を図って、北京や上海、そして震源地である武漢などでも経済、商業活動を再開していますが、しょせんこれは国民をだます一種の目くらましにすぎません。自国のことだけを考え、武漢をはじめとする全国の大都市をロックダウンしたのに、いまでは「中国が多大な犠牲を払って全人類に大きく貢献した」などと言いふらしている始末です。

2020年3月4日、中国共産党中央政治局常務委員会の習近平国家主席が議長を務める

アメリカでも精力的に言論活動に取り組んでいる周孝正。2014 年には、尖閣諸島の中国領有についても疑問を投げ、大きな話題を呼んだ。

会議で、新型コロナウイルス対策と経済・社会運営の安定化などが検討されました。ところが翌5日、馬朝旭(マーチャオシュ)外務次官が記者会見で「新型コロナウイルスの感染が各国に広がるなか、医療物資や技術の提供を通じて国際社会に貢献する」と、あたかも国内は安定したから、これからは世界各国を支援してやるという姿勢をアピールしたのです。

金 中国では近頃「感染は最初に中国で発生したものの、必ずしも発生源は中国とは言えない」という発言がありました。いまや国民的英雄と呼ばれる、あのコロナ対策チームを率いる鍾南山(ジョンナンシャン)博士の言葉です。2月27日の記者会見で、そのように述べていました。

周 鍾南山は、習体制の専門家チームの「トップ」という名の〝手先〟〝ラッパ〟にすぎません。中国のネットでも「中国は発生源ではなく、アメリカが本当の発生源だ」というデマが流れていますし、中国人のなかには、こうした根も葉もない情報を本気で信じる人も少なくありません。
ネット上では、海外で感染が拡大していることに関して、快哉を叫ぶ人も多くいます。さらに、外国に対して情報源が少ない中国人に対して、意図的な情報操作によって、海外のニュースを歪曲したり、それに便乗してデマを流したりする人もたくさんいるわけです。
もっとも、それは大手メディアであっても一緒。2020年3月4日、新華社通信のサイトに掲載された文章には、堂々とこう書かれています。

「新型コロナウイルスの発生源はおそらく外国である。中国は謝る必要はない」
「中国は莫大な経済的リスクをこうむった。だから世界は中国に真剣に感謝しなければならない」

金　中国人は比較文化論的視点から見ても、たしかに自分の非を容易には認めない国民性があり、いわば「謝らない文化圏」に属すると思いますが……。

周　おっしゃる通りです。しかも、自分はまったく謝らない一方、他者、相手には強引に謝罪を求めるのが、中国人の国民性の特徴といえます。こうした国民性を最もよく体現しているのが、中国共産党の体質です。
中国共産党の前に、枕詞のようにつく修飾語は何でしょうか。それは「偉大・光栄・正確」、略して「偉・光・正（ウェイグァンジョン）」です。あたかも姓が「偉光正」、名が「中国共産党」であるかのように、いつもくっついて離れません（笑）。世界中の政党を見ても、このようにやたらと自画自賛する政党などあるのでしょうか。日本の自民党がこんなに自賛していますか。アメリカの共和党や民主党が、こんな手前味噌なことをしていますか。当然していません。あの隣国、北朝鮮ですらここまでやりませんよ（笑）。

金　なるほど。なぜこんなにも自画自賛をするのでしょうか？

周　それは、ずばり自信がないからですね。中国共産党は、毛沢東時代からこの「偉光正」の神話づくりに力を入れていました。中国人民をプロパガンダで洗脳し、共産党による統治を正当化して永遠に権力を維持することが、その狙いです。

鄧小平から胡錦濤（フーチンタオ）の時代には、まだ謙虚な姿勢が多少なりともあって、恥知らずな自我自賛は控えめだったのですが、習近平時代になると、また毛沢東の時代へと後戻りしてしまいました。

自画自賛本『大国戦疫』をめぐるお粗末な騒動

金　「自画自賛」といえば、2020年の2月末に中国では習近平の感染症対策を称賛する内容の書籍が緊急出版されましたね。

周　ええ。ネットや海外メディアの報道によれば、2月26日、新型コロナウイルスがまだまだ蔓延し続けているさなか、感染症を抑制できていないにもかかわらず、中国政府が急きょそんな本を刊行したのです。

本のタイトルは『大国戦疫』。習近平国家主席率いる大国が疫病と戦うという大変俗っぽい意味通り、中国共産党トップの習氏を神格化し、称賛する内容です。党のプロパガンダ活動の大元である中国共産党中央宣伝部、国務院新聞弁公室が指導し、いくつかの国営出版社から刊行されました。

国営新華ネットの〝提灯記事〟を見てみましょう。

「習近平総書記の大国のトップとして人民のために奉仕する精神と使命感、そして戦略的な先見性と卓越した指導力をものの見事に表現している。それとともに中国人民が、習近平同志を中心とする党中央の指導のもとで、緊急動員に対して一致団結して、ウイルスと戦う人民戦争の進展、そして好転する状況を描いた。

本書を通じて、中国共産党の指導と、中国の特色ある社会主義制度の著しい優位性が示されるのと同時に、中国がいかに国際社会と協力して、全世界の国と地域の公衆衛生のために多大なる努力をしたかを明らかにした」

金　しかし、この記事に対しすぐさま非難の声が殺到しました。感染拡大を阻止できず、これだけの巨大な災難が収束もつかず、数千人の死者の骨も冷めないうちに、恥ずかしげもなく事実を曲げ、習氏の個人崇拝、神格化を急ぐのはどんなに狂ったことか、と。

実際問題、このような低レベルな礼賛など、まさに「偉光正」の衣装をまとったショーでしか見られませんよ。

武漢の小説家、方方（ファンファン）さんは辛口発言で有名ですが、彼女はネットで、発表した手記「武漢日記」で率直に述べています。

「私たちはいまだに家に閉じこもって、一歩も外出できない。しかし、あるところの人たちは大いに讃美歌を歌い、勝利を収めたかのように歓喜の声を上げる。武漢の人々は、一体いま何が言えるというのか。いらだつときもあれば、心かき乱されるときもあったが、私たちは皆、しのいできた。勝利と言っても、これはあなたたちの勝利にすぎない」

周 方方さんは中国の作家のなかでも、真実を口にすることができる数少ない勇気のある作家のひとりです。

面白いことに、『大国戦疫』は刊行されてすぐ、中国の主だったネットショップで「不売」という表示になってしまいました。そのわけは、ひとつは多くの人々の反感を買ったからでもあるし、あるいはコロナウイルスの影響で印刷工場の工員たちが現場に行けないからだともいわれています。

いずれにせよ、この本は、中国共産党習体制による数々の恥知らずの自画自賛本のなかの最高傑作として、歴史に残るでしょうね（笑）。

「習近平の知能は小学生レベルである」

金 日本をはじめ中国国外では習近平は無能者だというのがもっぱらの評価ですが、周さんは

周　彼をどんな人物だと見ていますか？

金　ひと言で言えば凡庸な人間です。正直言って賢くない、愚かな無能者ですね（笑）。

周　ではなぜ、そんな愚か者が中国共産党のトップ、中国の支配者になれたのでしょうか？

金　いまの中国の体制は、民主主義国のような選挙がないので、誰でも皇帝になれます。もっとも歴代中国の皇帝のなかにも、無能な人がいました。つまり、専制主義ではよくあることなのです。

習近平は、性格的にも毛沢東に似通った点があると思います。プライドは異常に高いし、見識も、教養も浅い。毛沢東の元秘書で、中国共産党体制内で最も良識ある人物とも評される李鋭（リールイ）さんが証言しているように、「習近平の頭は小学生レベル」ですね（笑）。

周　彼は清華大学で博士号を取っています。立派じゃないですか？

金　そんなこと、あり得ないでしょう（笑）。清華大学大学院博士課程を修了して法学博士号を取得したことになっていますが、その当時、彼は福建省の省長などを務めていました。ですから一体どうやって勉強、研究ができるのでしょうか。海外メディアは彼の博士論文はずばり、誰かが代筆した「偽造」だと断定しています。中国ではすべてがウソで、本物なのは詐欺師だけですよ（笑）。

周　李鋭さんは、先ほどの話以外にも習近平の印象について次のように語っています。

「私が習近平と最後に直接会って話したのは、彼が浙江（せっこう）省の党書記のときのこと。それまで、私は彼の文化的水準があれほどまでに低いとは思ってなかった」

「父親の習仲勲（しゅうちゅうくん）は素晴らしかった。私と仲勲は親友だった」

「なのに、いまの中国はどうなってしまったのか？」

その他にも多くの人がさまざまな証言をしていますから、総合的に見ると習近平はやはり「無能」だということでしょう。しかも、毛沢東並みに知識、教養にコンプレックスを持っており、自分に自信がないので、余計に権力欲が強い人物になったというわけです。

金　毛沢東の統治スタイルはひと言で言えば「暴力原理」でしたが、習近平は、そのやり方を受け継いでいるのでしょうか？

周　当然です。李鋭さんの娘である李南央（リーナンヤン）さんの言葉を見てみましょう。

「習近平は、父である習仲勲の息子ではなく、父親への反逆者になり、毛沢東の孫を自任しています」

「小学生レベルの知能で知的コンプレックスのかたまりで、暴力的。江沢民（ジアンズーミン）や胡錦濤を上回る最低の人物です。中国共産党には悪者は存在しません。存在するのは、悪者をさらに上回る人間のみです」

李さんの話は、まさに正鵠を射た話です。さらに李さんは、かつて毛沢東時代につくられた人民公社という農村の組織システムをベースに、習近平の統治能力を分析しています。なかなか興味深い内容です。

金　「農村では組織的に上から人民公社、次に生産大隊、最下位に小隊があって、一番勝手にお金を使うのは大隊トップの大隊長でした。習近平は、かつて農村で生産大隊長に任命されています。大隊長は小隊のお金をかき集めては、公社をうまくだましてお金を使い込むのです。習の頭のなかは、まさにその生産大隊長レベルでずっと変わっていません。大隊長同様わがままで、独裁で、自己中心的で、しかも幼稚なのです」

習体制には、誰かアドバイスができるシンクタンクのような組織や、あるいは知識人はいないのでしょうか？

周　いるわけないでしょう。すべてが奴隷のように操れる「奴才（ヌゥツァイ）」ばかりですね。私はチャンスがあれば、習近平本人に真実を教えてあげたいくらいです。習近平がこれほど増長しているのには理由があります。中国共産党内に、本当のことを言える人物がいないからなのです。

ある経済学者が習近平に手紙を書いて経済政策について進言しましたが、彼はまったく無視していましたし……。もはや習近平の下には彼にペコペコする、臣下のような人物しか残っていません。彼に正しい進言をできるような人は、すべてパージされてしまったのですから。

生産大隊長レベルの独裁統治で、毛沢東のように服従しない者をすべて粛清してしまう。これは実に単純なやり方です。つまり、かつての皇帝のようにカネと権力ですべてを支配するのが、中国共産党の統治様式なんですね。

「国破れて山河あり」から「国ありて山河破れし」への転落

金 知識人、一般市民を問わず、習近平独裁に不満を示す中国人は多いのでしょうか？

周 もちろんです。中国共産党が抱える最大の問題は何だと思いますか。それは、ナチス化していることです。数年前に清華大学の教授たちと一緒に、北京のドイツ大使に招待されたことがあります。そのときドイツ大使は、「5000年の文明を持つ中国が、いかにナチス化を回避すべきかを考えないとダメだ」と語っていました。

彼の話では、ナチス登場前のドイツは経済的にも上向きだったし、労働者はフォルクスワーゲンの自動車を購入できるほど豊かだったにもかかわらず、ナチスの台頭を防止できなかったといいます。しかも、それどころか、インテリも庶民もヒトラー率いるナチスの支援者になってしまったのが、痛い過去の歴史だというのです。

中国もいま、経済的に豊かになっているので、戦前のドイツの轍を踏まないようにするのが課題だという、重要な指摘をしていました。

周 中国共産党は本当にナチス化しているのでしょうか？

金 間違いありません。現状を見てみてください。中国は国家社会主義体制をとっていますが、国家社会主義をドイツで実践した人たちこそナチスだったではないですか？ 経済は発展したけれど、ドイツのヒューマニズムは死に絶えました。ドイツにあれほどの哲学者、思想家たちがいたにもかかわらず、ナチスを阻止できなかったのです。

ですから、私たちも自省しないといけません。国家社会主義体制のもとで、中国の国情はいま、どういう状況でしょうか。経済発展もすでにボロが見えてきましたし、社会、国民は文明、道徳レベルが最低ラインにまで堕落してしまいました。しかも、中国をここまでめちゃくちゃにした中国共産党は、いまだに反省していません。自賛だけです。

中国は共産主義の手前の社会主義の段階にいると、中国共産党は言っています。では、社会主義とは何なのでしょうか。公平、平等、無階級社会でしょう。しかし、中国共産党が実際に行っているのは「ニセ社会主義」です。軍事費は毎年二ケタ増え続け、軍国主義、愛国主義を国民に強要しています。これをナチスと呼ばずして、一体何と呼べばいいのでしょうか。

中国共産党はしばしば、日本のことを軍国主義だと非難していますが、果たしてそんな資格などあるのでしょうか。日本は戦後、心から反省をして真の平和な国、自由主義の国になりました。一方中国は、社会主義の衣を着たナチスドイツに転落してしまったのではないでしょうか。

金　しかし、中国が経済成長を成し遂げたのは事実でしょう?

周　中国がどうやって経済成長したのか。ひとつは、人民に対する〝搾取〟です。現在、農村戸籍のまま地方都市や北京、上海などの大都会で働かざるを得ない「農民工」が2・9億人もおり、最も汚くてつらい仕事をしています。しかも、賃金は国内で最低レベルです。一体、世界中のどの国に2・9億人もの安価な労働力が存在するのでしょうか。彼らは毎日、手ひどい差別を受けながら働いています。まさに21世紀の奴隷です。

そしてもうひとつは、大量に資源を消耗し、自然環境を徹底的に破壊してしまったこと。杜甫(とほ)の詩に出てくる「国破山河在」(国破れて山河あり)という有名な言葉がありますが、いまや「国在山河破」(国ありて山河破れし)ですね。とても笑えない深刻な現状だと言えます。

いまの中国人は最悪の状態まで汚れた空気を吸い、最悪の状態にまで汚染された水を飲みながらも、我慢し続けるしかありません。首都北京でも1カ月のうち26日がスモッグに覆われ、3メートル先も見えないありさまです。

また、ある統計によれば、中国北部の人たちは南部の住民より寿命が5年も短くなったと言われています。こうしたことは、国際的調査に基づいて学術誌に掲載された論文でも立証されているのです。

あるいは、行政が「売血」ビジネスを主導した結果、殺菌もろくにしない採血器具の使用、注射器の使い回しなどによって、貧しい農民がエイズにかかってしまうという悲劇もありました。村全体にエイズ患者があふれる「エイズ村」もあちこちにありましたが、ひと昔前までは、そのことに触れること自体タブーだったのです。現在はようやく口に出せるようになりましたが……。

ここまでめちゃくちゃなのに、中国共産党は言い放っています。中国のひとり勝ちだと。

中国人を日々悩ませる「3匹の蛇」

金 中国人は、自国の経済発展とはうらはらに、幸福になったという実感が乏しいようです。実際、大多数の中国人の幸福指数は低いレベルにとどまっていますが、一体それは何が原因なのでしょうか？

周　中国共産党は同胞、自国民に対して非常に冷酷です。中国に在留するアメリカ人記者が、かつてこんなことを言っていました。

「外国人が中国人に対して攻撃をし、悲しい気分になることもあるでしょう。でも、現実世界に思いを寄せれば、ある程度慰められるかもしれません。中国人に対して最も厳しく当たるのは、外国人ではなく中国政府なんですから」

都市戸籍と農村戸籍に分かれているのは、日本の方も知っていると思いますが、現在、北京をはじめとする大都市において、農民工や他地域からやってきた住民の子どもたちは、大学を受験する資格すら与えられていません。

北京で「権貴（チュアングィ）」と呼ばれる権力やカネを持っている人たちの子どもは、いずれもほとんど勉強をしないにもかかわらず、受験などでの特権を享受しています。ところが、たとえば30年前に北京に移住してきた農民工たちは、そこで子どもを生み、小学校から高校まで通わせたとしても、大学受験は許可されません。親の故郷に戻って受験しなければならないのです。

金　本当に差別が当たり前なんですね。

周　しかも、これればかりではありません。北京では、5年暮らしていないと、車もマンションも購買できないのです。そこで弁護士が、北京市は住民を差別していると訴訟を起こしましたが、裁判所は受理すらしませんでした。

金　やはり日本人のような平均的に高い国民的資質と比べると、中国人のそれはとても低いということなのでしょうか？

周　もちろんそうです。日本人の資質とはレベルが違いますね。中国共産党による独裁、全体主義システムによって育まれた中国人の大多数は、正真正銘の愚民と言えるでしょう。しかも階級社会ですから。いま、中国社会には黒蛇、白蛇、そして眼鏡蛇（コブラ）という3つの蛇が生きているのをご存じでしょうか。

金　いいえ。何でしょう、それは？

周　黒蛇は、すなわち黒い法衣を着た法院（裁判所）のこと。白蛇は白いガウンを着用した病院のこと。そして眼鏡蛇とは、学校の先生が眼鏡をかけているから、教育のことなのです。

金　面白いたとえですね（笑）。

周　これら3種類の蛇は、いずれも中国人にとっては手ごわいものです。法院、病院、学校教育は多額のお金が必要となりますから、中国人を苦しめます。まさに蛇のように……。つまり、これらは実生活においては避けては通れない、やっかいな蛇たちなのです。

金　たしかに中国では裁判沙汰になると、かかる費用、人間関係を含めて大変なことになると聞きました。

周　そうですね。しかも中国の司法は不公平なので、人々は「黒蛇」だと非難するわけです。また「白蛇」、つまり病院で診療を受けることも日本のように容易ではありません。1日中、列に並ぶことなど日常茶飯事ですし、薬代も想像以上に高価です。さらに「眼鏡蛇」、すなわち子どもの教育も、小中学校は義務制ですが非常に費用がかかります。つまり、さまざまな問題が中国人を苦しめているわけです。日本へ旅行に出かけて〝爆買い〟できる人たちなど、わずかな富裕層しかいません。

自然の空気も政治の空気も新鮮なアメリカ

金　貧富の差を測る指標に「ジニ係数」がありますが、中国の数字はどうなっているのでしょうか？

周　ジニ係数について、2001年3月に当時の朱鎔基(ジューロンジー)首相が「中国の数値は0・39を超えた」と述べました。ジニ係数の世界的な平均値は0・2で、0・4が警戒線と言われています。つまり、この数値が意味するところは、中国社会で「両極分化」が起こっているということなのです。

「両極分化」について、かつて鄧小平が次のように明言しました。「もし中国社会が両極分化に至ったら、それは改革の失敗である」と。この改革の失敗とは、どういうことなのか。これは、中国は経済改革のみならず政治改革も見事に失敗したということなのです。

実は現在、中国のジニ係数は０・６を超えています。ところが、中国国家統計局はこの数値を公開しません。２０１６年に０・４６５という数値が公式発表されましたが、中国政府の統計など誰が信じるのでしょうか。中国の統計データを中国人は「神仙数字」（ねつ造データ）と呼んでいます。中国人自体、政府の発表など信用していないのです。

金　最近中国では、中産階級が3億人に達しており、２０５０年には9億人にまで増えると言われていますが、これが事実なら中国はもっと豊かな大国になれるのでは？

周　とんでもないですね（笑）。たとえ中産階級が3億人から9億人に増えたところで、中国は豊かになどなれるはずがありません。新鮮な空気すらないんですよ。私が強調したいのは、新鮮な空気、清潔な飲用水、そして安全な食品、この３つもないのに何が発展、何が豊かな社会なのでしょうか。

そもそも中国は、「中産階級が増えた」「7億人が貧困から脱出した」などと自画自賛していますが、信用できるはずありません。政府は、ＧＤＰや通貨発行量の増加でしか富を見ていないのですから。

貧困から脱したと言いますが、私の幼い頃に見た「青天白雲」は消えてなくなってしまいました。しかも、清潔で安心して飲める水もありません。赤ん坊のミルクには毒素が入っています。これで中国が豊かになった、発展したと本気で言えるのでしょうか。

金　中国が環境や自然を破壊してでもGDP、豊かさのみを追求した弊害ですね。

周　習近平はさまざまな経済目標を打ち立てましたが、なによりGDP優先の金銭主義です。人間が生きるか死ぬかにかかわる空気、水、食品がダメなのに、GDPが増えて何の意味があるのでしょうか。

金　だから周さんは、新鮮な空気を求めてアメリカに移住したんですね（笑）。2017年夏、周さんとお会いしたのは北京でした。当時、ネットでは周さんのアメリカ移住をめぐってさまざまな議論が巻き起こっていましたが、70歳を超えてから異国の地を選んだのはなぜでしょうか？

周　金さんの言う通り、アメリカの空気が新鮮だからです（笑）。しかも、自然の空気だけではありません。政治の〝空気〟も、中国よりはるかにいいわけですから（笑）。北京にいたら、私の寿命は10年短くなっていたことでしょう。アメリカで毎日新鮮な空気を吸いながら、精神も健全になりました。言論の自由を十分に享受し、好きなことを言いたい放題言えますからね。

金　ネットの一部では、周さんは賢明な選択をしたと言われています。他方、アメリカに移住したら、言語の壁のため言論活動にマイナスになるのでは、という意見もありますが。

周　たとえば、北京大学の賀衛方（ホーウェイファン）教授（「理由2」参照）は体制内から体制を批判していますが、当然、中国共産党当局から弾圧を受けてしまいます。しかし、私はタイプが違います。もう古稀をすぎているし、あのようなひどい環境から逃れて、いい環境で発言したいと思いました。孫子の『兵法』に「走為上策」（逃げるのが最もいい策略だ）とあります。まさに、私はこの戦略を選んだわけです（笑）。

それに、いまやパソコンやスマホを利用すれば、瞬時に世界に向けて発言ができます。現在中国のスマホ人口は10億ですから。

金　周さんはかれこれ50年間、教壇に立ち続けてきましたが、やはり教師として使命感はいまでも持っているのでしょうか？

周　もちろんです。中国の体制や社会、民族に巣食うあるゆる弊害に対して、批判をし、真相を探り、解決方法を提示するのが私の使命です。しかも、私はアメリカのヴァージニア州に移住して寿命が10年は伸びましたから、その分、余計に頑張れます（笑）。

「日本軍が攻めてきたら、彼らを助けて中国を敗北に追い込む」

金　周さんの使命感は、すばらしいと思います。ただ、周さんが去った中国大陸を見ると、文化大革命が否定されているにもかかわらず、「毛左」（毛沢東思想を信奉する左派、保守派）がとても多くいるようです。微信（ウィーチャット）のグループでも、そういった人たちに遭遇するのですが、なぜこんな状態になっているのでしょうか？

周　そうした人たちは、最下層に置かれ、毎日のように統治者から搾取されながらも、なぜか統治者と同じような思考回路を持っています。あらゆる生き物を見ても、このような中国の「弱智（ルオジィー）」（愚者）は探し出せないでしょう（笑）。

ただし、中国の衆愚、愚民を絶対に軽く見てはいけません。中国共産党は毛沢東の時代から知識エリートを迫害し、彼らをほぼ根絶やしにしてしまいました。

残った者はほとんどが文化、教養のレベルが低い農民や労働者だったため、中国共産党のプロパガンダにはまりやすかったのです。毛沢東の神格化による中国共産党の暴力支配は、さらに彼らの思考を停止させ、毛への崇拝が迷信レベルにまで高まりました。彼らの思考を変えるのは、容易なことではありません。

金　こうした左派、毛沢東をアイドルのように信じ込む愚かな民は、中国人の95％を占めているでしょう。その対極にいるリベラル派、民主派は5％くらいにすぎません。改革開放40年が失敗だというのは、この側面からも言えますね。

周　もちろんです。中国の衆愚は、国家主義のプロパガンダ教育や洗脳が生み出した〝毒〟です。彼らの目には外国の進んだ文化や知識が見えませんし、勉強、考えることもまったくしません。中国共産党による愚民化教育にしか従わず、閉ざされた世界で生きるばかりです。いま、習近平は、鄧小平、胡錦濤も踏み込まなかった個人崇拝、すなわち毛沢東時代の再現を断行しています。では、なぜ習政権がこうしたことを公然とやれるのか。それは、いまの中国共産党体制下に95％の愚民がいるからなのです。つまり現在の中国は、中国共産党と愚かな国民の合作で成立した国と言っても過言ではありません。

金　中国ではいま、愛国教育によって空前のレベルにまでナショナリズムが高まっていますが、周さんはどうお考えでしょうか？

周　この現象の主な理由は、国内問題に対する目を外国へとそらそうとしている習政権に、人々が踊らされているためと言えるでしょう。ですから、表面上はあらゆる中国人が愛国者のように見えますが、実態はまったく違います。実は、中国の真の問題を見ようとしない本当の「漢奸（ハンジェン）」（売国奴）が日々、大量生産されているだけなのです。

以前、北京市民に対してアンケート調査を行いました。その質問のひとつが、「もし日本軍が現在の北京に侵攻してきたら、あなたは戦いますか？」というもの。すると、どんな答えが返ってきたか、わかりますか？

金 いや、わかりませんね。

周 なんと「日本軍のために道案内して、中国が敗北するように助ける」と答えた人間が90％もいたんです。

金 えぇ、本当ですか？

周 本当です。やはり、現在の習体制に対する不満と憤りを物語っていると思います。だから機会さえあれば、海外へ移民、留学し、しかも戻らないのがいまの中国人ではないですか。本当に愛国者であるならば祖国へ戻るはずでしょう。日本人は、なぜ海外へ留学した後、ほとんどが祖国へ帰るんですか。それは、祖国日本が単純に魅力的だからではないでしょうか。自国への未練をなくさせるような、こんなすさまじい現実をつくったのはひとえに、中国共産党の集権体制なのです。

金 現代中国のあらゆる病弊は、すべからく中国共産党の独裁政治に由来するということなんですね？

周 その通りです。1912年2月、辛亥（しんがい）革命により清朝最後の隆裕太后（りゅうゆうたいこう）が退位を宣言しました。これで清朝は幕を閉じるわけですが、その詔書には、こう書いてありました。「現在、全国民は心のなかで共和制を望んでいる」と。

この言い方が、私はとてもすばらしいと思います。だから辛亥革命は流血せずに成功し、中華民国を樹立できたのではないでしょうか。

しかし、中国共産党は本当の「共和」を望みませんでした。中国共産党の本質はロシアからやってきた「マルクス・レーニン主義」です。これは中国的な思想ではありません。ですから、中国共産党による統治体制は、「共産主義」の名を借りた一種の封建王朝的システムなのです。これが中国共産党の本質だと思います。

金 中国で共和制はいかに樹立できると思いますか？

周 800年前にイギリスで定められた、人権、自由、国王の権利制限などをうたった「大憲章」（マグナ・カルタ）を研究し、実践すればいいと思います。これが答えですね。

理由 4

共産党一党独裁の〝毒性〟は新型コロナをはるかに上回る

～下層階級の声を代弁し続ける社会人類学者の怒り～

郭于華（かく・うか）

グオユーファ

清華大学社会学部教授。中国では禁止されているツイッターアカウント（@yuhuaguo）を10年以上前に開設するなど、さまざまなやり方で独自の意見を発信する知識人のひとりとして知られる。
1956年、北京生まれ。71～79年まで武漢軍区空軍通信団で技術兵として勤務。80年、北京師範大学に入学し84年に大学院へ進学。90年、同大学院にて博士号取得。同年から2000年まで中国社会科学院社会学研究所に在籍し、その後現職。途中、1年間アメリカのハワイ大学にも在籍。社会正義や公民社会の実現、人権問題や体制改革について、積極的に発言をしている。

主な著作――『傾聴底層』『尋求生存』『受苦人的講述』『事業共同体』『居住的政治』など。

「知識人として社会の欠陥を指摘し、体制にメスを入れるのが私の本職です。いまの権力側に対して、あれほど多くの人が喝采を送っています。しかし私は、そのおべっかの大合唱には、加わりたくありません」

清華大学社会学部の郭于華教授は、恐れげもなくズバッと語る。中国の著名な社会学者である彼女は、こうした物言いからもわかるように、まさに〝女傑〟そのものだ。

現代中国の批判的「公知」（公衆に向けて発言する知識人）のひとりとして、郭さんは社会問題、下層階級、弱者の貧困や人権問題、知識人としてのあり方、そして中国共産党による一党独裁政治に関し、果敢に発言してきた。

身長180センチという長身の郭さんは、小学校からずっとバレーボールをプレーしてきた。さらに、1971年から1979年までの8年間、武漢軍区空軍通信団で技術兵として勤務した軍人生活の経験者でもある。

そんな郭さんのしぐさや言葉の端々に、なんとなく軍人的な「快言直語」（思ったことをずばりと言う）の特徴が表れていた。

初対面は2018年夏、北京の清華大学キャンパス内の教員食堂でのこと。昼食をともにしながら、私たちは実にさまざまな問題について語り合った。明るくて、相手にすぐに親近感を抱かせる女性だった。

それ以来、電話でもインタビューを行った。その都度、彼女の見識の鋭さに感心したものである。

新型コロナウイルスの蔓延後、話題は自然にそちらへと向かった。彼女は率直にこう語る。

「人間を〝道具〟としてしか見ない中国共産党の統治スタイルは、新型コロナウイルスよりも毒性が強いのです」

人を使い捨て続ける独裁体制の悪しき慣行

金 今回の新型コロナウイルス対策チームを率いて有名になった、体制側の代表的な人物である鍾南山（ジョンナンシャン）博士が、新たに中国共産党に入党した医療関係者を率いて入党の宣誓をし、中国共産党への忠誠を誓いました。この映像は世界中の華人に伝えられ、議論を巻き起こしましたが、郭さんはこれをどう見ていますか？

郭 知識人たちの言論空間が、毛沢東時代以来、最も狭められているこの時期に鍾南山医師のような体制側の知識人に入党宣誓をさせ、その映像を流したということは、国民の共産党への忠誠心をさらに強化させるつもりがあったと思います。

しかし、こんなショーのようなやり口は、むしろ反発を招きやすいのではないでしょうか。新型ウイルスの真相を隠蔽し、真実を言えないように人々の口をふさぎながら、党の言いなりになることを求めるなんて、愚かな行為以外の何ものでもありません。

中国共産党は、このように思うがまま人をコントロールしてきました。しかし、このような統治スタイルから見えるのは、結局のところ人間を〝道具〟としてしか考えていないということ。こんな政治のやり方自体、一種の〝ウイルス〟です。しかも、新型コロナウイルスをはるかに上回る毒性を持っているとしか言いようがありません。

金 そうした問題の本質はどこにあると思いますか？

郭 中国のあらゆる〝災い〟の原因は、中国共産党による独裁政治にあります。前述のように、この独裁体制は人を人として見ていません。中国共産党が必要なときに誰かを利用し、使用済みになれば使い捨てという構図ですね。ウイルスが蔓延すると、多くの医療関係者を現場に派遣し、やれ天使だ、やれ民族の英雄だと持ち上げます。ところが２００３年のS

同僚に対する不当な処分から新型コロナウイルス禍に対する政府の対応に至るまで、常に弱者目線で声を上げ続けている郭于華（右）。

ARS（重症急性呼吸器症候群）流行のときもそうでしたが、ひとたび騒動が解決すると、何の補償もしません。最後は当事者が、自分自身で勝手に解決しろということなのです。

金　結局、民は使い捨ての道具なんですね。

郭　ええ。中国ではすべての人間、労働者、農民、軍人、そしてわれわれのような学者、知識人も、権力者にしてみれば道具にすぎないのです。これまで一度も自国民を人間として見てこなかった。これが中国共産党独裁体制の、最も本質的な悪しき慣行なのです。

私はそれでも体制との戦いをやめるつもりはない

金　なるほど。私は最近、郭さんの清華大学の同僚である許章潤（シュージャンルン）教授に微信（ウィーチャット）でメッセージを送ったのですが、通信不可になっています。2018年3月に許教授は、習近平（シージンピン）政権が改憲を行い国家主席の任期制限を撤廃したことを批判する論文を発表したところ、大学側が停職処分にしましたよね。それ以来、ずっとこんな状態なのでしょうか？

郭　そうなんですよ。許教授はずっと授業禁止で、普段の研究活動すらも禁じられています。私は、大学当局のやり方には本当にあきれました。許さんは中国共産党を打倒せよなどとは、ひと言も言っていません。ただ1本の論文を書いて、習指導部に進言しただけです。

学者が自分の見解を表明して、何が問題だったのでしょうか。専門家の見地から真摯に意見を述べて、なぜ罪に問われるのでしょうか。権力側が法を無視して、ひとりの人間の人権をこのように踏みにじっていいのでしょうか。

金　私も許教授の文章を読んだのですが、まともなことを言っていますよね。さらに2020年2月、許教授は新型コロナウイルスをめぐる習近平政権の対応を批判する文章をインターネット上で発表しました。「真相を隠し、責任逃れで感染拡大を許した」など的確に習近平体制のミスを指摘した文章は、すばらしいのひと言です。ただ当然、許教授の立場が心配なのですが……。

郭　前に述べたように、許教授のホームページもウィーチャットアカウントもすべて凍結されたままです。彼の行動も制限され、ほぼ「軟禁」状態といえます。

金さんの言う通り、新型コロナウイルス感染拡大について書いた「憤怒の人民はもはや恐れない」は、まさに檄文です。彼はこう書きました。

「新型ウイルスが中国全土に拡散した原因は、すべて中国政府の徹底的な隠蔽、情報統制と責任転嫁、そして自画自賛のプロパガンダを行う悪習による人災である」

「今回のウイルス蔓延は政治体制の脆弱性と退廃を余すところなく明らかにした」

だから「国民の憤怒は火山のように噴火し、激怒した彼らは何も恐れなくなった」と。

金　たしかに許教授の文は、あのノーベル平和賞受賞者で中国政府に獄中死させられた劉暁波（リウシャオボー）さん以来、中国国内で発表されたすばらしい言葉ですね。許教授は2018年7月にも「目下われわれの恐怖と期待」という論文で、習体制の独裁を批判し、その危険性を語りました。私はネットで読んで、本当に的を射た指摘だと感心、共感したものです。

郭　許教授は、見習うべき良心のある知識人の代表であり、私のとても尊敬する同僚で、かつわれわれの誇りだと言えるでしょう。彼が指摘した「2017年から中国の政治と社会は後退し始めた」というのは、中国人であれば誰もが痛感している現実です。個人崇拝を抑制すること、国家主席の任期制を復活させること、公務員の資産公開を義務化する法制度の実施、そして1989年に起きた天安門事件の正当な評価など、4つの守るべきボトムライン、8つの懸念、そして同じく8つの期待からなる提案で、許教授は習体制に警鐘を鳴らしました。

アメリカの中国語サイトで当時、許教授のこの文章に対する賛否をアンケート調査したところ、95・22%が賛成だったとのこと。やはり良識ある中国人は、誰ひとり習体制の過ちに対し賛成するわけがないのです。

金　なるほど。このように厳しい言論空間において、許教授以外にも抗議の声を発する勇気ある人物はいるのでしょうか？

郭　もちろんです。私も許教授を応援するひとりですし。私は誰よりも勇敢というわけではありませんが、こんな状態こそ恐ろしく感じています。誰もが沈黙するという状態が、何よりも怖い。意見がまったく出てこないということは、すなわち「従順」を意味することになりますから。そして、このような従順が続けば、国は間違いなく滅びます。

私のウィーチャットアカウントも、もう何十回も凍結されたりしていますが、私はそれでも体制との戦いをやめるつもりはありません。周りにも、さまざまなやり方で抵抗を続ける友人や知識人がいますし。

金　同じ清華大学に呉強（ウーチャン）さんという政治学者がいましたよね？

郭　ええ、呉さんは講師として社会運動の科目を6年も教えてきたのですが、2015年に清華大学当局は彼を解雇しました。理由は学生からの評価が「不合格」だったからです。

金　中国の大学では、授業に学生スパイを潜り込ませ、教師の言動をスマホなどで録画し、体制や国家に少しでも不満の声を上げると、学校当局に密告すると聞いています。呉強さんも、そのせいでクビになったのでしょうか？

郭　そうですね。そうしたスパイ活動は本当のことです。どれくらいの人数なのかはわかりませんが、確実に存在しています。授業に対する学生による評価があり、そこに密告文を書き込む学生もいるようです。呉さんは学生の密告でやられたと思います。つまり、中国の大学は、教師の政治思想に対する統制を裏で平気で実施しているのです。許教授が停職処分にされた際、私はまったく驚きませんでした。物事すら自由に語れないくらい、言論空間はものすごく狭まってしまっていましたから。

金 郭さんが執筆した「自分の意見を表明しない学者はいるか?」という文章を拝読しました。許教授の「自分の話をしない先生はいるか?」に呼応する形で書かれていますね?

郭 政府は学者、知識人の正当な意見を弾圧しますが、そうした行為に法的根拠はありません。こんなまるで暴力団のような統治に反抗するのは当たり前でしょう。国のため、人々のため、社会のため、そして自由のために学者が自分の意見を言うと罪になるなんて。たとえ正しくなくとも、表現の権利、言論の自由は、社会の確固たる基盤ではないでしょうか。

金 郭さんは怖くありませんか?

郭 もちろん怖いですよ(笑)。しかし、だからと言って知識人、学者として、何も反抗しないのは、私の性格的にも許せません。恐ろしいからといって、ひざまずくわけにはいかない。どんな状況でも、しっかりと立って意見を言うべきです。
ひとりの人間として、人間らしく生きていくべきではありませんか。私は、あくまで中国国内で発言していきたいと考えています。国家がすべての発言ツールを取り潰しても、私には関係ありません。私にはただひとつの道、つまり言うべきことを言い続けるしかありませんから。

オーウェルの世界を超えた中国の全民監視システム

金 中国国民への監視は、さらに精密化されているようです。空港の入国審査も全面デジタル化していますね。

郭 そうです。中国の監視体制は、もはやジョージ・オーウェルの『一九八四年』の世界そのものです。かつて『一九八四年』を読んだときには、まさか中国がこのような社会になるなど夢にも思いませんでしたが……。

いまは発達したインターネットとAIの技術を駆使して、いつでも、どこでも検閲、チェックが可能な監視社会になってしまいました。政府は海外のほとんどのサイトにアクセスできないように遮断し、ツイッター、フェイスブックといったSNSやグーグルなどは、参加はおろか閲覧さえできないようにしています。

一方、検索サイトの「百度（バイドゥ）」や中国版のユーチューブ「優酷」（Youku）などがありますが、当然のことながら常に中国政府の監視下にあり、政府にちょっとでも不利な内容や発言は削除されてしまいます。

10億人を超える人が日々利用しているウィーチャットや百度には、「敏感詞（ミンガンツー）」という言葉が登場しました。これは、その名の通り当局が敏感に反応するNGワードのこと。天安門事件や劉暁波といった敏感詞は、そもそも検索すらできません。このように、国民一人ひとりの言動だけでなく、日常生活における買い物、娯楽に至るすべての行動が監視されコントロールされる状況になっているのです。

いまや天網工程（テイエンワンゴンチャン）（AIによる監視システム）、金盾工程（ジンドゥン）（インターネットの検閲システム、グレート・ファイアウォール）や雪亮工程（シュエリャン）（主に地方住人のスマホ、家電から個人情報を収集するシステム）などを駆使して、個人のメール、通話記録だけでなく、会話内容や、会った人の映像まで入手することが可能になってしまいました。

金　本当に恐ろしい『一九八四年』的な監視社会が実現したことによって、ますます人々の自由や人権が踏みにじられる最悪の世界に変貌してしまったのです。

中国の監視統治システムを「デジタル・レーニン主義」と名づけた、ドイツ人社会学者セバスチャン・ハイルマンが言った通り「中国のAI監視体制は、すでにオーウェルの世界を超えた」ということですね。

郭　まさに、そうです。前述したように、中国共産党体制下で人間は、もはや監視すべき〝道具〟に成り下がってしまいました。

中国人は果たして〝人間〟といえるのか？

金 郭さんは「中国人は人間といえるのか？」という文章も書いていますね。最初タイトルを見て驚いたのですが、じっくり読んだら、中国人も世界中の人間と同様に人間で、人権を有するという内容でした。

郭 中国では、よく「中国の事情は特殊なため、西洋的な自由民主制度はそぐわない。だから中国は、独自の道を歩むべきだ」ということが言われます。しかも、「中国モデル」の優越性を強調して世界では当たり前の価値観を否定するわけです。さらにひどいことに、「中国人は民度が低いので民主主義には適合できない」という意見すらあります。

しかし、私はこれに対して質問を投げかけました。すなわち「中国は、それほどまでに唯一無二の存在なのでしょうか。であるならば、中国人は果たして〝人間〟と呼べるのでしょうか」と。

世界の普遍的価値とは国や地域、民族、宗教を超え、良識と理性に基づいて人類が共通して認める哲学や理念のこと。要するに、信仰の自由、言論の自由、出版・結社の自由、恐怖から解放される自由です。

金　その通りですね。

郭　中国では、現実に対して無力さを感じたとき、よく「ここは中国だからさ」というセリフを言います。また文化大革命のさなか、よく口にされた言葉があるので紹介しましょう。

「われわれはレンガであり、どこか必要なところに運ばれる。高層ビルに運ばれても、トイレに運ばれても喜ぶ」

本来、当たり前の話ですが人間はレンガではありませんし、レンガだって人間ではありません。ところが、中国の国家体制において、人間は人間ではなくなります。何かに利用され使われる工具、材料にすぎないのです。

中国では「人間としてもっと尊厳を持とう」「民主化への道を探り、文明国の仲間入りをしよう」という意見が上がると、必ず反対の声にかき消されます。

「中国人に民主主義はそぐわない。民主化を進めれば必ず社会が乱れる。絶対に西側のような、民主主義を入れてはいけない！」

そう叫ぶ人が数多く存在するのです。

金　なぜ、そんなに民主主義に反対するのでしょうか？

郭　やはり、中国共産党による一党独裁体制のもとで長期間洗脳されてきた結果、人々は上からの指示に従うことに慣れて、自分自身の頭で考え、個人として独立する気概を、もはやなくしてしまいました。言うなれば、中国人は皆、自ら積極的に〝奴隷役〟を演じているわけです。

中流階級の下流化と「二等国民」の絶望

金　なるほど。私が見たところでは、中国人が奴隷化した結果、社会自体も停滞してしまったように感じられます。

郭　おっしゃる通りですね。私は、こうした現実を前にし、失望を禁じ得ません。社会の資源とチャンスがごく一部の人に集中し、中流、下流の人々には手が届かないものとなっています。こうなると、上流へと上がっていくことが、さらに困難になってしまうわけです。社会学的視点から分析すると、中国社会の特徴は「機会損失」「流動性の停滞」「階層の固定化」という感じにまとめられます。これらの構造的欠陥によって、富める者はますます富み、貧乏人はますます貧しくなり、強い者はますます強くなり、弱者はますます弱ってしまうのです。

金　まるで流れのない水溜まりのように腐って、さらなら悪化、劣化を招くわけですね。

郭　そうですね。社会の腐乱、悪化を招くのは必至です。とくに下層階級がより、暴徒化、ヤクザ化するでしょう。近年、中国で頻発する農民工の報酬未払い、児童誘拐と人身売買、住宅の強制立ち退きや撤去、そして体に害をもたらす危険な食品の流通といったさまざまな問題は、いずれも下層社会悪化の象徴ですね。

さらに、生き残りが厳しくなっている現状において、なりふりかまわずわずかな生活空間を勝ち取らざるを得なくなります。その過程において当然、社会は不義、不正に満ちあふれるだけでなく、暴力行為も横行することでしょう。強者は弱者をいじめ、弱者はさらにもっと弱い人たちを虐げる社会、つまりヤクザ的な原理が蔓延する社会になっていくわけです。

また、中流階級も下流化していきます。最上位に居座る一部の既得権益集団が社会資源を独占するため、社会的構造は固定化してしまいました。そうなると、中流階級が豊かさを求めることは非常に難しくなってしまいます。事実、中国の国家公務員に対するアンケート調査では、8割が日々、強烈なストレスを受けているとのことです。

さらに、エリート層の海外への流出もますます増えるでしょう。上流階級の人たちは圧倒的な富を占有していますが、社会状況が悪化すれば、やはり日常的な不安にさらされます。だから、彼らは海外へ移住したり、子どもを留学させたり、資産をフライトさせたりするのです。中国では相変わらず移民がブームですが、もちろんその主要メンバーはエリート層です。

つまり、中国の社会が劣化、悪化するなかで、誰ひとり安全、安心を享受できず、日々不安を抱えていると言えるでしょう。もはや中国人は、かつて鄧小平時代に抱えていたポジティブな気持ちや高揚感、目標もすべて失ってしまいました。

金 郭さんの著書『傾聴底層』(下層の声を聴け)は、学術的な内容であるにもかかわらずベストセラーになりました。中国の下層の農民、農民工や都市部の失業者といった弱者の「苦痛」を訴えた好著だと思います。

そして最近、郭さんはそうした農民や農民工を「二等国民」と定義しましたが、これはどういうことなのでしょうか?

郭 長きにわたり農村住民と都市住民を分ける戸籍制度という悪弊により、農民や農民工たちは「二等国民」としての地位から抜け出せなくなりました。すなわち、制度的にもはや最下層に甘んじるしかなくなってしまったのです。

いまや、社会問題として毎日のように争いのタネになる農民工の低賃金、給料の未払い、工場における有無を言わさぬ上意下達=パワハラシステム、非人道的な労務管理といった問題などは、すべて農民工たちの制度的に低い身分のせいで生まれたものです。

また、そもそも都市戸籍と農村戸籍という分割システムは、必然的にさまざまな問題を引き起こします。たとえば農村に残した子どもと引き裂かれる異常な家庭生活、春節（旧正月）期間の交通システムの限界、都市部の治安劣化などといった問題は、いずれも戸籍制度に関連しているわけです。

さらに2017年には、政府が出稼ぎ農民工や地方出身の労働者を、彼らの故郷へ強制的に戻らせるという事件も起こりました。しかも、このような下層階級に対する差別政策は、昨日今日始まったわけではありません。半世紀以上も続いています。つまり中国の工業化、都市化とこうした差別問題は、ずっと切っても切り離せない状態のままなのです。

郭　金　どうすれば「二等国民」問題を解決できるのでしょうか？

都市と農村の対極構造はもはや社会のみならず、ある種の思考の問題となってしまいました。農村の権利を保障しないままでの都市化は、不公平で不条理です。システム的、観念的な差別で生まれた農民問題を解決するには、農民たちに権利と力を与えなければなりません。

つまり、彼らが本来持っている生存権、財産権と幸福を追求する権利を与えなければならないということ。一言でいえば制度的、政治システムの改革を達成し、それによって全国民、農民、農民工を含んだ公民の基本権利を保障する制度に切り替えるしかありません。

「来世は中国人として生まれたくない」

金　日本では、いくら肉体労働に従事する者であっても、ただそれだけの理由で差別したり、人間の尊厳を犯しても平気でいられるような観念は、ほとんどありません。日本を必要以上に美化する気はありませんが、中国の社会状況は異常ですね。

郭　ええ。中国は戸籍制度が問題であることもさることながら、そもそも普通の人たちのあいだでも、肉体労働者や農民は差別の対象になりがちです。

この21世紀の世界において、おそらく「二等国民」「三等国民」が存在する国は中国や北朝鮮くらいでしょう（笑）。

少し前の話になりますが、２００６年9月、中国のインターネットサイトで「もしも来世があるとしたら、あなたはまた中国人として生まれたいですか？」というアンケート調査が実施されました。

結果は非常に面白く、なんと70％もの人が「来世は中国人として生まれたくない」と答えたのです（笑）。しかも20％の人が「現世でも中国人になりたくない」と答えました（笑）。「来世も中国人になりたい」と答えたのはわずか10％にすぎなかったのです。

その理由は至極簡単で、中国社会は「尊厳なし、希望なし、公正なし」の「3なしだから」というものでした。

さらに面白かったのは、その後の展開です。もともとこのネット調査は、ある程度の期間行う予定でしたが、あまりに国家体制にとって不都合な結果が出たので、政府は期限を1カ月も前倒しして強制的に終了させてしまいました。

しかも、その内容もすべて削除。そして翌日、このサイトのニュース主筆と評論主筆が、即座に解雇されたのです。

金 これは日本とは真逆ですね。日本人は、たとえ海外に留学しても、日本に戻る人が大多数です。強制的に「愛国」を洗脳しなくても、日本人としての誇りを持っているのが普通ですね。

郭 それはうらやましい限りです。日本は自由、民主の先進国家で、人間を差別するのではなく、人間の尊厳、自由をきちんと守ってくれるすばらしい国だからでしょう。中国は日本のお隣であるにもかかわらず、その違いはまさに「雲泥の差」としか言いようがありません。中国共産党が「人を人として見ない、道具としか見なさない」という郭さんの見解に私も

金 同意します。となると、中国の政治体制の改革が急務となりますが、どうすれば政治改革を実現できるのでしょうか?

郭　私はこれまで一度も、中国における政治改革への希望を抱いたことはありません。考えてみてください。まず、権力側が何ら制限を受けずに完全にやり放題。どこにでも首を突っ込み、好き勝手にくまなく統制する。市場、経済、教育、学問、思想、文芸……。すべてに干渉し、統制しているではありませんか。しかも、世界最先端のテクノロジーをフル活用して……。

彼らは、権力を絶対に放棄しません。憲法まで改悪しながら、自らの権力を墓場まで持っていくつもりでしょう。こんな権力の独占状態で､改革の機運など高まるはずありません。

金　体制内で反逆者が出てきて、クーデターが起きる可能性はないでしょうか？

郭　ほとんどないでしょう。一般市民においても「愚民」が多いのと同様、党幹部の人たちも上の言うことをホイホイ聞く「奴才（ヌゥツァイ）」ばかりです。本気で中国の統治体制を変えようと、命まで投げ出す人物などいるはずありません。

中国人は残酷なやり方で同胞を統治、管理するのに、非常に長けた民族です。魯迅（ろじん）も小説『墳（つか）』で、こう書いていました。

「歴史の誕生以来、中国人は常に同胞によって殺戮され、酷使され、掠奪され、刑罰を与えられ、侮辱され、圧迫されてきたのである。こうした人類が耐えられない苦痛の経験を考えるたびに、まるで人間の世界で起きたことではないかのように思える」

私は、中国のこのような現状に、ものすごく憤りを感じます。絶望的すぎて出口がどこにあるのか、まったくわからないほどです。

こうした中国の問題の源泉は、すべて権力の独裁にあります。今回の新型コロナウイルスの感染拡大によって、中国共産党の一党独裁体制が生んだ弊害がものの見事に露わになりました。

この中国の国家体制の本質を見抜き、変えることができないと、中国には明日がないことなど、言うまでもありません。

理由 5

コロナ禍であぶり出された卑怯で堕落した中国人の現実

～ノーベル文学賞に最も近い作家の苛立ち～

イェンリェンコー
閻連科（えん・れんか）

作家、中国人民大学文学部教授、香港科技大学客員教授。独自の幻想的な文学は「神実主義」と呼ばれる。
1958 年、河南省生まれ。貧しい農村で育つ。高校中退後、20 歳で人民解放軍に入隊し創作学習班に参加。92 年に発表した『夏日落』が発禁処分を受け注目を浴びる。2004 年除隊し、同年刊行の『愉楽』（河出書房新社）が魯迅文学賞などを受賞。05 年発表の『人民に奉仕する』（文藝春秋）が発禁処分を受け、06 年の『丁庄の夢』（河出書房新社）も一時販売中止、11 年の『四書』（未邦訳）も発禁処分を受けたが、イギリスのブッカー国際賞の最終選考に残る。14 年には村上春樹に続いてアジアではふたりめとなる「フランツ・カフカ賞」を受賞。

主な著作――上記の他、『年月日』（白水社）、『炸裂志』『硬きこと水のごとし』『黒い豚の毛、白い豚の毛 自選短編集』（以上、河出書房新社）など。

奇想とユーモアが混ざり合った小説で、いまや中国はおろか世界中の読者をとりこにする巨匠・閻連科。

莫言（モーイエン）、賈平凹（ジアピンワ）、余華（ユイファ）などと並ぶ、中国現代文学を代表する作家のひとりとなった閻連科さんは、「神実主義」という独自の表現手法を編み出した。そのきっかけは、中国のあまりにも複雑で不条理に満ちた現実を前にして、従来の現実主義（写実主義）では、もはや力不足と考えたからである。

1958年、河南省の貧しい農民の息子として生まれた閻さんは、高校を中退し、20歳で中国人民解放軍に入隊する。小説を書いたら稼ぎになることに気づき、軍の時代から作品を発表するが、あまり注目を浴びなかった。ところが、1992年に発表された悩む兵士の姿を描いた『夏日落（シィアリールオ）』は、中国国内の文学賞を受賞したものの発禁処分となり、そこから話題を呼ぶようになる。

国内では10冊中8冊が発禁処分を受けているだけあり、彼は「最も論争の多い作家」「反体制的作家」と言われている。そのため、国内で出版した小説よりもむしろ海外での出版が多くなっており、2014年、世界的権威のあるフランツ・カフカ賞を、アジアでは村上春樹に次いで受賞した。

そして、ついには毎年のようにノーベル文学賞候補として名前が挙がり、「ノーベル文学賞に最も近い中国人作家」（2017年1月11日「ニューズウィーク日本版オンライン」）とまで言われるようになったのだ。

「中国の奇なる現実の前で、文学はあまりにも軽薄で無力です。しかし、権力の跋扈する現実社会において、たとえ尊厳のない暮らしをするとしても、それでもなお、尊厳をもって小説を書きたいんです」

こう語る閻さん。2016年、北京で初対面したこの文豪は、鋭い作品スタイルとは違い、純朴な農民のような印象で、同時におだやかな気品のある男であった。

その後も電話や微信（ウィーチャット）でやりとりをしながら、私たちの対話は続いてきた。

閻連科さんは、こう話す。

「権力の前で文学は奉仕する道具になってはいけません。この中国という〝現実〟のなかで、私は血を流しながら小説を書いています。それでも私が小説を書き続けるのは、それが現実との格闘であると同時に、自分の人間としてのプライドを守る行為でもあるからなのです」

「神実主義」とは何なのか？

金　私がはじめて閻さんの作品を読んだのは、2005年に香港で出版された『人民に奉仕する』でした。当時一種の快感とショックを感じたことをいまでも覚えています。以来ずっと閻さんの作品に注目しているうちに、いまや中国の作家のなかでも世界的巨匠になりましたね。

日本でも閻さんの小説が広く読まれており、雑誌や新聞でも、高い評価を得ています。たとえば、文芸評論家の福嶋亮大さんは、『炸裂志』の書評で次のように激賞していました。

「ときに当局から発禁処分を受けながら、暴力と汚穢（おわい）、性愛と権力の渦巻く中国の現実をつかみとろうとするその作品群は、いささか貧血気味の現代文学に強烈な活を入れるものだ。（中略）中国の骨太の文学的想像力は、暴力や汚穢からも決して目を背けない。理性を麻痺（まひ）させる『爆発』と『分裂』のただなかで、リアルな歴史を浮かび上がらせる閻連科の力業を、とくとご覧あれ」（2019年12月11日『日本経済新聞』）

また、日本読者が選定する「Twitter 文学賞」を、アジアの作家として、初めて受賞しました。

このように、日本では「閻連科の時代がやって来た」とも叫ばれており、一ファンとして

私は2016年以来、閻連科（左）の自宅を何度も訪ね、コロナ騒動後は電話でインタビューをした。彼の言葉は、常に絶望と希望がない交ぜになっていた。

うれしい限りです。

閻　ありがとうございます。「閻連科の時代が来た」かどうかはわかりません（笑）。ですが、私の作品が中国国内よりも海外で読まれ、高く評価されていることに関して、心から幸運だと思いますし、感謝もしています。

とくに同じアジア圏である日本と韓国で大変重視され、認められるということは、中国文学、あるいは中国社会、政治への関心が高まっているということの表れではないかと思います。

もちろん、莫言さんや賈平凹さんのような先輩作家の力によって、現代中国文学への関心の土台が築かれたと思いますが、いまや日本でも単純に政治のイデオロギーとか、発禁作家という次元を超えて、本質的な次元で中国文学を理解しようとする、あるいは文学芸術に対する認識が高まっている時代になっているのではないでしょうか。

もうひとつは、日本の読者や文芸評論家の文学への高い理解力と関心にも起因すると思います。やはり古典に比べて、現代中国文学の魅力が乏しいなか、私の作品が愛読されることは、本当にありがたいことです。

金　『丁庄の夢』『硬きこと水のごとし』『炸裂志』をはじめとする閻さんの小説では、物語が奇想天外な形で展開されます。不可思議な人間や、夢か現実か分別できない境界、想像を超えたストーリーなど、魯迅、カフカやガルシア・マルケスなどを連想させますが、また彼らともひと味違う小説的技法の精神がユニークだと思います。

閻　これが、閻さんが打ち出した「神実主義」だと思いますが、もう少し詳しく教えていただけますか？

日常生活と社会的現実を土台に、想像、寓話、神話、伝説、幻想、奇想などを織り交ぜるのが、神実主義の本質であり、また、それを実現する手段でもあります。神実の「神」とは、精神の神、神霊の神であり、それは表面的な可視化できる現象にあるのではなく、魂、精神のなかにあるものなのです。

金　つまり、現実的な物事の背後にある「精神、魂が生み出す真実、リアリズム」という意味ですね。

閻　そうです。だから、これは単なる技法ではありません。言い方は下手かもしれませんが、西洋の超現実主義、つまりシュールレアリズムやマジックリアリズムを超えた「中国的様式」と言えるでしょう。中国の現実が複雑で奇怪であるがゆえに、神実主義でなければそうした現実を表現しきれないからです。

中国の多様性、複雑性は、世界のどの国にも引けを取りません。ですから、作家がそこからひとつの物語だけを引っ張り出すだけで、そのまま、奥深い、複雑な現実社会を表現できます。西洋のまねをする必要などありません。

いまだに毛沢東時代の〝鉄則〟に縛られる作家たち

金　つまり、中国の現実社会こそが閻さん独自の「神実主義」の源であり、と同時に、描くべきテーマそのものでもあるということでしょうか？

閻　その通りです。私は毛沢東時代の文化大革命を幼い頃に体験しています。その当時から、私は〝漆黒の夜〟のような社会を見てきました。

もちろん、いまの21世紀の中国は毛時代とは違います。14億の国民は豊かになり、まるで強い光に照らされているかのように世界でも輝く一国となりました。しかし、この光の下で、暗い影のような不安、そして心の寒さ、悲しみを感じざるを得ないのです。

私には直感的に「暗黒」が感じられます。現代中国の発展の陰にある腐敗、混乱、無秩序、モラルの失墜……。いわばグロテスクなリアリズムが、中国で毎日のように自作自演されているのです。

西側社会や外国が、中国をあざ笑うまでもありません。パクリや偽造は相変わらず世界一だし、不可思議なことが毎日のように起きています。毒の混ざった粉ミルク、毒入りのお茶、地溝油（地下水やゴミでつくった食用油）などは、もはやニュースにもなりません。

今日の中国では、いかなる奇想天外な不祥事やニュースが発生しても、おかしくない。むしろ1週間のあいだ、何も怪しいことがなかったら、そのことこそ怪しむべきです（笑）。

金　なるほど（笑）。まさに「事実は小説より奇なり」ですね。

閻　そうです。そしていま、中国国内の文学界にはふたつの問題が存在します。

ひとつは、作家たちが現実から目を背けていること。たとえ有名な作家であっても、現実とかかわりたいとは思っていません。こうした人たちは、現実に関与しなくとも偉大な作家になれると考えています。

もうひとつの問題は、文学が完全に市場に支配されているということ。ですから、作家が本気で自分たちの役割を果たさなくてもいいわけです。この文学と現実のかい離こそ、中国という国のサイズと比べて、中国文学が世界的にほとんど影響力がない本当の原因だと思います。

金　同感です。本来はそうした現実こそが創作の源になるというのが、閻さんの考えなわけですね？

閻　まさに、そうです。私は繰り返し、このことを強調してきました。改革開放から40年ほどたったいまの中国大陸の現実は、作家たちに未曾有の良い作品を書けるチャンスを与えたと。現代中国で起こっている現実のすべては、まさに「奇想天外」そのもの。そこには、ふたつの異質な社会が存在しています。ひとつは、政府が管理支配する〝表の社会〟。もうひとつは、都会や農村を問わず人々が生き抜く〝裏の社会〟です。中国人は誰もが、このふたつの社会で振り子のように暮らしています。言い換えるなら、誰もが左手には「氷」を、右手には「火」を持っているというわけです。

そうしたふたつの社会に生きる結果、いまの中国の人々の心は歪んでしまいました。と同時に、社会も荒(すさ)んでしまったのです。しかも悲しいことに、中国の文学者たちは、この複雑奇怪な現実社会を目の前にしながら、常に陳腐で浅薄で閉鎖的で、ひたすら卑屈になっているのです。

金 中国文学の限界と言っても過言ではないでしょうか？

閻 ええ、その通りです。私たちが期待する有能な作家たちは、この社会の現実が引き起こす矛盾、複雑さから逃げてしまっています。これが非常にもどかしいのです。

金 わかります。このような状態は、ある意味、毛沢東時代に規定された「文学・芸術は政治のために奉仕する」という〝鉄則〟に、いまだに束縛されていることの表れではないでしょうか？

閻 そうですね。この鉄則の束縛に慣れ親しんだため、大部分の作家は数十年来、政治や社会矛盾から距離を置くようになりました。その結果、政治だけでなく社会の現実からも逃避するようになったのです。

金　私は比較文化学者として「文化は青空で、政治は雲」という言葉をキャッチフレーズのように使ってきました。これは文字通り「文化は政治より上位にあるべきだ」という意味です。そして当然、文学も政治の上に存在すべきだと思います。

閻　まったく同感です。あくまで文学は政治の上にあるべきであり、けっして政治に隷属してはいけません。中国の文学芸術は毛沢東時代以来、政治に支配されてきました。これが問題なのは言うまでもありません。

本来、文学は政治を超えるべきだし、現実から逃避してもいけない。これは議論の余地もない最低限のルールでしょう。

政治を超えて現実を描写する際に、作品をいかに政治の上に置くかは、実は作家の才能とテクニックにかかっています。単純に勇気があるかないかだけの問題ではないのです。

新型コロナの現状を克明に記録した女性作家の勇気

金　最近、武漢発新型ウイルスが世界的に拡散し大パニックになっている一方で、武漢在住の女性作家、方方（ファンファン）さんの「武漢日記」がネットやウィーチャットで大きな反響を巻き起こしています。ところが、方方以外の知識人や作家は、政府の隠蔽などに関して、発言も批判もほとんどしていません。閻さんは、これについてどう思われますか？

閻　世界中のほとんどの人は、中国人作家の卑怯さと堕落ぶりを理解できないでしょう。まるで南極圏でじっとうずくまるペンギンたちのように、極寒のなかで生きるしかない。これが、まさに中国人と中国作家の境遇でしょう。

疑う余地もなく、今回の新型ウイルスは武漢が発生源だし、この世界的蔓延は中国式社会体制の弊害に原因があるのです。しかし、武漢の「封城」以後、中国全体が一丸となって、散らばった薪を集めて一斉にくべるように、愛国、救国に燃えました。純粋な人情とグロテスクさがない交ぜとなって……。

しかし、文学はこの疫病と人々の受難の前で、無力さをさらけ出しただけでした。戦争や疫病の流行中に、作家が「兵士」兼「記者」となり現場の様子を伝えれば、その声は銃声よりもはるかに遠くへ届いたことでしょう。アーネスト・ヘミングウェイやジョージ・オーウェルがかつてやったように。

金　その通りですね。

閻　ただし私が言いたいのは、作家が戦場におもむいて記者になるということでは必ずしもありません。それよりも、作家がひとりも戦場で人が死にゆく様を見ない、1発の銃声も聞かない。もっと言ってしまえば、人が亡くなっていること、銃声が響いていることを知っているのに、それを勝利の祝砲、お祝いの爆竹だと礼賛するのが中国の作家なのです。これが、どんなに残酷かつ荒唐無稽なことか。

今回のパンデミックの嵐のなかで、卑怯で貧弱な中国の作家は、ただ傍観するしかありませんでした。しかも、自分が真実を述べたり、異論を発信したりできないくせに、他人の発言を許さないなど、あり得ないことです。真実を語り続けた方方さんのような勇敢な文学者を、誰も叱責する権利などありません。

こうした、中国の現代作家が真実を述べられない、そうする使命感すら持てないという原因は、どこにあると思われますか？

金

3つの原因があると思います。

閻

第一は、権力を前にし、文学は単なるサービス品となってしまったこと。

第二は、金銭を前にし、文学はデパートと露天市場の安売り商品となってしまったこと。

第三は、名声を前にし、映画・テレビの付属品、あるいは作家自身の生活雑記になってしまったこと。

この3点に多くの中国人作家がはまってしまったから、中国文学は失墜せざるを得なかったのです。

金　なるほど。一方で中国には才能あふれる作家も多いと思いますが……。

閻　たしかに、そうです。中国には才能のある作家はいくらでもいます。しかし、中国文学の病根は、権力者が何を書いて、何を書かせないかという権限を持っていることではなく、作家自身が、何が書けるのかを明らかに知りながら、知っているためにかえって書かないことです。

金　ネタは世界中でもっとも豊富なのに、わざと目を背ける。真実を知りながら、そこから逃避する。これは、私も含めた今日の中国人の一種の性質だといえるでしょう。

閻　しかし、閻さんこそ、中国の現実に真正面からメスを入れる勇敢な良心ある作家だと、全世界が知っていますよね。

金　ありがとうございます。厳しい言い方になりますが、作家自身が文学を殺す〝殺人者〟と化しているのが、中国文学の現実なのです。

絶え間ない中国の災難はすべて〝人災〟である

金　閻さんは2020年2月21日、客員教授を務める香港科技大学のネット授業において、中国政府の新型ウイルス蔓延への対応について批判しました。と同時に、この件に関して真相を知る権利があり、賛美歌を歌うのではなく、災難の記憶者として、真実を後世に伝えるべきだと強調しました。

閻　文学の使命のひとつは民族、国家や集団の社会的真相を記憶として後世に伝えることだと思います。記憶と反省こそ人間の特質で、われわれを成熟させるいわば〝装置〟です。今回の新型ウイルスによる世界的災禍は、いまだ抑制されていませんし、死者の実数もはっきりわかりません。病院での死亡者と院外での死亡者は、どれくらいなのでしょうか。このままではろくに調査も行われず、「永遠の謎」として終わりを迎えるでしょう。ですから、この災難が終息した後、われわれは恥辱を感じ続けるべきであり、死ぬ間際まで「自分は勝利者だ」などと自負してはいけないと思います

金　ある意味で、中国は100年前の国民性、体質が依然として根強く残っていますね。

閻　そうです。堕落的で自分で考える思考能力に欠け、「精神的勝利」の自賛ばかりする性格は、中国人の国民性といえます。

現在の政治体制下で、中国人はいつも上から、何を話し、何を記憶すべきか命じられています。ではなぜ、中国人の人生、中国の歴史において、個人、家庭と社会、国家の悲劇、災難はいつまでも絶えないのでしょうか。なぜそうした災難と悲劇が起こると、いつも無数の農民の命であがなわれなければならないのでしょうか。

もちろん、そこにはさまざまな原因はありますが、ひとつに中国人の記憶力、反省力の喪失が挙げられるでしょう。たとえばエイズ、あるいはＳＡＲＳ（重症急性呼吸器症候群）や今回の新型コロナウイルスなど、絶え間ない中国の災難、これらはすべて〝人災〟によるものではないでしょうか。

さらには、１９７６年の唐山(タンシャン)大地震や２００８年の四川大地震といった天災のときでさえ、同じような人為的な要因が背後にあります。ＳＡＲＳといまの新型コロナウイルスの蔓延の仕方はそっくりで、まるで同じ監督が同じ悲劇映画を撮り直したようなものです。

金　その意味で前述の方方さんは、勇敢で良識ある作家ですよね。

閻　もしも今回、方方さんの記録がなかったら、あるいは多くの人たちがスマホで現場の生死という現実、それに悲しみと助けを求める声を伝えなかったら、私たちは、真相をまったくつかめなかったでしょう。

金　作家として今回の件に関するメッセージを発信するならば、どんな内容のものになるのでしょうか？

閻　いずれ新型コロナ肺炎の終息の時期は来るでしょうが、そのときに中国の勝利を喝采する大合唱のなかで、自分自身の頭、思考を持つ人として反省する人、自身が抱いた疑問をしっかりと発信できる人、そしてこの災難を記憶し、後世に伝える人になってほしいですね。

金　安っぽい勝利の凱歌より、記憶、反省こそが中国人に必要不可欠なものなのですから。私が感心しているのは、作家として閻さんは卓越した作品を創作すると同時に、ひとりの国民としても正義感にあふれる〝勇者〟だということです。2011年、北京で購入したマンションが地方官僚によって無理矢理取り壊されるはめになったとき、39戸の住民を代表して、当時の胡錦濤（フーチンタオ）国家主席に進言書を出しました。作家のなかでこのように勇敢な行動をとれる人はいないと思います。あるいは、河南省のエイズ村のために自腹を切って寄付したことも話題になりましたよね。

閻　作品だけではなく、人々の苦難の代弁者として実際に体制と戦う姿勢は美しいと思います。ありがとうございます。ただ、もちろん私だって臆病で、権力の崇拝者で、妥協的な人間ですよ（笑）。私は農民の子として生まれ育ち、貧困のなかで高校も中退し、重労働をしながら底辺の人間としての苦難、苦痛を十分に味わいました。この苦難から逃れるために、軍に入隊し、毎日玉子炒めを食べられるようになりたいと思って作家になろうと決意したくらいです。1975年のことでした。

1977年に大学受験制度が復活し、一度受験しましたが落ちて翌年、人民解放軍に入隊することで、ようやく農村から逃れられます。そして1979年、デビュー作となる短編小説を発表したのです。原稿料は郷里の父に送金しましたね。

自分自身と時流、体制に常に反逆する意味

金　閻さんは、中国の民族主義についてどう感じていますか？

閻　この国では、革命やキャンペーンなどが起こるたびに、人々の血のなかにあるナショナリズム、偏狭な民族主義が暴発するおそれがあります。げんに1950年代の「大躍進」政策の時代、3年でイギリスとアメリカの経済に追いつくと宣言し、極端な愛国主義、ナショナリズムを高揚させました。

しかし、農業においても工業においても非現実的なノルマを追いかけさせただけ。結局、人民を疲弊させ、数千万人もの餓死者を出したのです。つまり、中国のナショナリズムは、おしなべて信じられない悲劇を招いてきたと言えます。

私は、以前はあまり意識していなかったのですが、2013年に発表した『炸裂志』を書く頃から、ナショナリズムによる悲劇を表現するようになりました。

近年、日本や韓国との外交的トラブルがあるたびに、過激なナショナリズムによる反日暴動、反日・反韓キャンペーンなどが沸き起こりますが、それらはいずれもきわめて幼稚な行動です。官民ともに深く反省すべきでしょう。

金　こうした、国民性は100年前から批判されてきましたよね？

闇　ええ。魯迅や中華民国時代のジャーナリスト梁啓超らエリート知識人たちは、そうした中国人の国民性を繰り返し批判してきました。ところが悲劇的にも、中国人の性質はほとんど変わっていません。

金さんは中日韓、東アジアの文化を比較する学者だから、よく知っていると思いますが、日本人、韓国人の国民性、教養と比べたら、中国人のそれは明らかに劣っているでしょう。中国人は改革開放後40年たっても、やはり変わらないどころか、ある意味では退歩しているとすら思います。

金　では闇さんは、ご自身をどのような作家だと思っているのでしょうか？

闇　私は反逆者型作家だと思っていますね(笑)。この反逆とは、まずは自分自身へのものです。創作を続けるなかで、絶えず自己への反逆を実行しています。それから時流、世相、現実や体制に対する反逆ですね。

つまり内向的、かつ外向的反逆者として作品を創作し、現実や体制の不条理、荒唐無稽さを批判し、警鐘を鳴らしているつもりです。私は永遠の反逆者といえるでしょう（笑）。

金　現在、闇さんは「ノーベル文学賞に最も近い中国人作家」と言われています。これについて、どうお考えでしょうか？

閻　ノーベル賞は2012年に莫言さんがもらっていて、それは喜ばしいことです。ただ正直言って、私は受賞に対して欲望は強くありません。受賞の可否は作家が考えるべきではありませんから。作家のすることは、外部の影響を受けずに自分の作品づくりに専念すること。あとは運命に任せればいいのではないでしょうか。

金　閻さんは最近、「自分はもう60歳をすぎているし、才能は枯渇したような気がする」と弱音を吐いていましたが、それはなぜでしょうか？

閻　もうあと5、6年もすれば、中国文学は本当になくなってしまうかもしれません。げんに、偉大な文学の時代はもう終わりを告げました。この3年から5年ものあいだ、中国の文壇から何ひとつ偉大な作品が現れていないじゃないですか。

最も活躍した50、60年代生まれの作家は、すでに50歳を超え70歳近い人もいます。ところが彼らの作品は、過去のものより退化しているのではないでしょうか。だから私は、ひとつの偉大な文学時代はもう終焉したか、あるいは終焉を迎えつつあると思っています。私がこんな発言をすると、多くの友人や作家の機嫌を損ねるのは知っていますが……。しかし、これは事実だと確信しています。

一方、この文学の交替期は、70、80年代生まれの作家にとって、いい空白期であるとも考えられます。彼らはいま最も才能を発揮できる時期にいるでしょうから、上の世代を超える作品を書いてもらえると期待しています。

金 ということは、閻さんは必ずしも〝文学の未来〟に絶望しているわけではないということでしょうか？

閻 そうですね。私が先ほど述べた言葉の真意は、新しい文学の時代が現れ、その前の文学は自然に終わりを告げるということです。その迫り来る終わりに対して、私はいま準備をしているところなのです。

金 つまり、何か新作の構想があるということでしょうか？

閻 私は軍に26年間もいたのですから、軍隊をテーマにした作品を書く予定です。中国の軍隊文学には、伝統的写実主義と、英雄主義と愛国主義が混在しています。それをベースに、私は人間の不条理、権力と腐敗の現実をえぐってみたいと考えています。

理由 6

国民の犠牲の上で増え続ける「GDP神話」など論外だ

～中国を引っ張り続けた経済学の第一人者の嘆き～

マオユーシー
茅于軾（ぼう・うしょく）

天則経済研究所創設者、経済学者。「中国経済学界の魯迅」と呼ばれ、現代中国で最も影響力のある経済学者のひとり。
1929 年、江蘇省生まれ。50 年、上海交通大学卒業後、機関車の運転士、エンジニアなどを務める。その後、文革により工場労働などを強いられるかたわら、ミクロ経済学を独学で習得。79 年、「最適配分の理論」を発表する。84 年、中国社会科学院米国研究所の研究員として渡米。93 年に退職後、改革派経済学者の拠点となる独立系民間シンクタンク「天則経済研究所」を設立し、のちに所長に就任。2012 年、自由を推進した人物に与えられる「ミルトン・フリードマン自由賞」を受賞。14 年、イギリスの雑誌『プロスペクト』（Prospect）による「世界の思想家 2014」（World Thinkers 2014）のトップ 10 のひとりに選出される。

主な著作――『択優分配原理』『中国人的道徳前景』『誰妨碍了我們的致富』『現代経済学前沿専題』『生活中的経済学』など。

茅于軾さんのインタビューは北京市内の彼の自宅で行われた。茅さんは紳士的な魅力ある「大人（ダーレン）」という雰囲気だ。当時90歳に近い高齢だったが、70代に見える若さとダンディーぶり。温和で謙虚、そして慈愛深い先輩として、昔からの知己のように感じた。84歳の美しい奥さんも、すてきなワンピース姿で私を温かく出迎えてくれた。

茅さんは現代中国で最も影響力のある経済学者として、国際的に高い名声を誇っている。2012年、アメリカ・ワシントンのシンクタンク、ケイトー研究所から「ミルトン・フリードマン自由賞」が贈られた。その理由は次のようなものだ

「茅氏は中国における個人の権利と自由市場の積極的提唱者のひとりであり、開放的で透明な政治制度を提唱し、中国が計画経済から自由市場経済へ転換する過程において最も重大な貢献をした」

さらに2014年、イギリスの雑誌『プロスペクト』（Prospect）誌上の投票で「世界の思想家2014」のトップ10にも選ばれている。

中国で「経済学界の魯迅（ろじん）」と呼ばれる茅さんは、経済学界での貢献もさることながら、果敢に真実を明らかにする言説を展開し、「精神的旗手」として知識人、一般の人々双方から尊敬

されている。もちろん、反体制的な発言の多い彼のことを「漢奸（ハンジェン）」（売国奴）などと罵倒する人も少なくないが……。

私が茅さんを知るようになったのは、市場経済の発展にともない、中国社会で道徳的な荒廃が進んだことを明らかにした、彼の有名な著作『中国人的道徳前景』（1997年）を拝読してからであった。インタビューの1年前から、本書にも登場する著名な評論家、呉思（ウースー）さん（「理由11」参照）を通じて茅さんと電話で交渉し、ついに対談を行うこととなったのである――。

中国の貧困と経済発展を阻害する原因は何なのか？

金　茅さんの経歴はとてもユニークです。上海交通大学の機械学科で学び1950年に卒業すると、中国東北部ハルビンの鉄道局の技師として、車両研究などに携わりました。また、文革期間中は山西省の大同（ダートン）に7年間「下放（かほう）」され、青蔵（青海省〜西蔵＝チベット）鉄道建設にもかかわっています。このように経済学の専攻でもないのに、どうして経済学研究への道を進むことになったのですか。

茅　私が経済学に関心を持つようになったきっかけは、1950年代の計画経済時代に鉄道の経済性をいかに評価するか、ということから始まりました。当時、経済学者たちは皆マルクスの『資本論』を引用したり、あるいは、イデオロギー的に経済を解釈したりしていました。一方、私はそもそも機械工学研究者だったので、そんなイデオロギーの枠にとらわれずに済んだわけです。

金 実際、経済学とは、抽象的な概念を並べるだけでなく、数理を基礎として展開する学問です。中国の経済学者たちが政治的イデオロギーに縛られている一方、私は学問は政治から距離を置くべきだと考えていました。

茅さんが「最適配分の理論」を打ち出したのは1979年、50歳の頃でしたね。その当時、まだ鎖国状態だった中国の学問的環境で、茅さんは世界の経済学研究の最先端に立っていました。この「最適配分の理論」について、説明していただけますか？

茅 マクロ経済学における中心的研究テーマのひとつが、少ない資源をいかに効果的に分配するかという問題です。「最適配分の理論」とは、すなわちストレートに資源を配分するための最良原則とは何なのかを追求するものです。

計画経済体制の下では、資源の効果的な配置調整が阻害され、その結果大きなムダと効率性の低下が生じます。ですから、進むべき道は市場経済しかないのです。市場経済を導入すれば、実は計画経済より富を国民に最適に分配できるということを、その理論によって

北京の自宅で茅于軾（真ん中）とその妻（右）とともに。90歳を超えた現在も、朝6時に起き、夜10時に寝る超健康生活を続けているという。

金　証明しました。茅さんは、いつ中国の経済改革の筋道を研究しようと思ったのでしょうか？

茅　先ほどの理論を発表したのち、1984年、当時勤めていた鉄道省科学研究院から中国社会科学院の米国研究所に異動した際、私は中国の経済学界の変革に献身することを決意しました。

当時の米国研究所所長だった李慎之（リーシェンジー）先生（1923〜2003、当時の中国を代表するリベラル派知識人）との出会いは、私の人生を変えるほどの出来事でした。ありがたいことに、李先生は「アメリカ経済に関する論文を何本か発表すればいいから、あとは自由に研究していいよ」と言ってくれたのです。

その結果、米国研究所の10年間の研究成果のうち、3分の2は中国の経済改革に関するものとなりました。これらは中国の改革に、多少なりとも貢献したと自負しています。

このように、自由な研究環境に身を置いているうちに、私は自分自身がリベラルな知識人だということを自負し、その役目を果たさなければならないと考えるようになりました。そして、より開かれた考えと視野を常に意識しながら、中国の経済界、思想界の変革を行ってきたのです。

金　なるほど。その後1993年、茅さんは中国で最大の民間シンクタンクである天則（てんそく）経済研究所を創設しました。この天則とはどういう意味ですか？

茅　「天則」とは『詩経』に登場する「天生蒸民、有物有則」（天が蒸民＝万人を生じ、そこには法と規則がある）から名づけました。

この名称は、シンクタンクに集う経済学者たちが、経済学の改革を目標としていることを表しています。当初は盛洪（ホンシェン）さん（1954年生まれの自由主義経済学者）が所長でしたが、1993年の秋にシカゴ大学で在外研究をすることになったので、私が引き受けることにしました。

そして、中国の政治改革に関する諸問題や自由、人権問題の研究、経済に関する天則フォーラムの開催などさまざまな活動をしたのです。いわゆる「象牙の塔」から抜け出して経済学の「産業化」にも力を注ぎ、アジア開発銀行などさまざまな世界的機関と研究を進めました。もっとも、ご存じの通り、2019年に習近平（シージンピン）政権によって閉鎖されてしまいましたが……。

金　茅さんの大きな信条のひとつは「中国人に富が行きわたること」でしたね。

茅　私は、これまで多くの先進国と発展途上国双方を訪れ、かつ人生においても中華民国→中華人民共和国→改革開放という3つの時代を経験しました。そんなことから、経済学者としての私が最も関心を抱くテーマは、中国の貧困と経済発展を阻害する原因は何なのか、ということです。もちろん、中国人が秩序を築かず、嘘つきで、素質が低劣なのも問題ですし、中国共産党一党独裁体制もまぎれもなく大問題です。

実際、個人の物質的な豊かさは本人が創造した価値のみでなく、社会全体の人々の仕事の質と効率にも連関します。経済学の見地から言えば、人為的な不合理が潜在的生産力を阻害し、労働力を効率よく使えないようにしてしまいます。しかも、それどころか他人の労働の成果にすら悪影響を及ぼしてしまうのです。これらが合わさって、国全体の富を蝕み、個人の所得増加の障害となります。

ですから大事なのは、自由市場システムによって資源の分配方式を改変することです。ただし、そのためには財産の所有権を明確にする必要がありますが……。

あるゆる経済活動は「道徳」の上に成り立つ

金　茅さんは中国政府が追い求める、一種の「GDP神話」についてどう見てますか？

茅　貨幣理論、景気循環理論などが評価され1974年にノーベル経済学賞を受賞する一方、自由主義を信奉し「反共」を強く訴え続けた思想家フリードリヒ・ハイエクは、その著書『隷属への道』などを通じて、一国の経済と国民の人間性、精神に大きな関係性があることを指摘していますね。最終的に、国家が過度に経済を管理して生じた問題をソ連の崩壊を通じて説明し、全体主義国家による計画経済の弊害を批判しています。全体主義は「人間を奴隷のように酷使する道」だと喝破していたんですね。

茅　ジョージ・オーウェルの『一九八四年』も同じテーマですね。

金　そうです。1944年にハイエクが『隷属への道』を書いた理由は、ファシズムに警鐘を鳴らすためです。しかし、戦後もその有効性は消えることはありませんでした。なぜなら、中国やソ連が全体主義的体制のもと、計画経済を推し進めたからです。

そのソ連は、1991年に崩壊しました。一方、中国の計画経済も袋小路にたどり着いてしまったため、1978年に鄧小平が市場経済にチェンジしたのです。これによって中国経済史上、前例のない成果が上がりました。

もちろん、GDPの数値は大事です。しかし問題は、GDPだけを追求してしまうと、金儲けだけに走ってしまうと同時に他人をも傷つけてしまうこと。そもそも市場経済は、他人を傷つけないのがルールです。ところが、現在の中国では、一方的に貧しい人たちをむやみに働かせ、そうした人たちに損を押しつけるようなことが、あまりにも多く起こってしまっています。こうした状況を見ると、先進国とはまだまだ相当な距離があると言わざるを得ません。

金 日本の商業、経済には、買い手よし、売り手よし、世間よしという「三方よし」の原則があります。だから、100年以上続く老舗の数が世界一ですし、創業200年を越えた企業は4000余社を数えるなど、日本企業は〝長寿〟を誇っているわけです。なかには創業から1400年以上という世界最古の株式会社「金剛組」もあります。

茅 大したもんですね。だから、われわれは日本に学ばないといけません。他者を犠牲にするGDPは大問題のひと言です。他人を傷つけるとなると、それはもうバクチと同じでしょう。実際、自分だけ儲けて相手に損させるのは本当の儲けではありません。自分も相手も皆が儲かったうえでのGDPにこそ、本当の意味があるわけです。

そのためにも、基本的に皆が利益を得られる市場経済を徹底する必要があります。しかも中国はいま、「GDP神話」を強調しながら経済の活性化を叫んでいますが、政治体制的にも計画経済にまた戻る可能性もなくはないわけですから。

金 茅さんは経済学者であると同時に、中国人の道徳、国民的な素質に対して早くから問いを投げかけています。なぜ道徳に関心を持つようになったのですか?

茅 私は「市場経済は道徳経済」だと考えています。なぜなら、経済活動は〝道徳〟という土台の上で成り立つからです。これが私の出発点ですね。

1987年、アメリカから帰国後の中国を見てみると、経済は改革開放によって大きな発展を遂げました。ところが、文革によって破壊された人々の倫理観、道徳がめちゃくちゃだったのです。

金　共産主義的な道徳ですら危機に直面しており、社会の公共道徳はすっかり衰退してしまいました。だから私は、道徳が必ずしも経済発展に寄与していないことに思い悩んだのです。そこで1989年に、そうしたことを訴える本を執筆しましたが、ちょうど天安門事件が発生したため出版が遅れ、1996年にようやく正式に刊行されました。

茅　茅さんの本は単なる説教が書かれているのではなく、豊富な実例を提示しながら道徳問題を論じていましたね。

ありがとうございます。中国では3月5日は「雷鋒（レイフォン）の日」となっています。雷鋒とは奉仕活動をし続け、人民解放軍に在籍中、若くして殉職した人物です。中国人にとってのボランティア精神の象徴と言ってもいいでしょう。

この雷鋒に学んで、利他の精神で他人を助けるのは悪いことではありません。みんなが雷鋒になれば、社会もきっとよくなることでしょう。ところが、中国ではひとりが雷鋒になったとしても、他の人は雷鋒になりません。それどころか、周りは皆、雷鋒の善意にただ乗りしてしまうのです。

こうした状況は、きわめて深刻だと言えるでしょう。道徳とは、人間同士が非対等な場合と、対等な場合の2種類があると思います。

では、非対等とは何なのか。たとえば、金持ちと貧乏人、強者と弱者、上の者と下の者といったように、権力や経済力などに大きな開きがある状況のことです。そうした場合、金持ち、強者、上の者は、困っている弱者、貧困層を助けるべきなのです。これが非対等の道徳です。

その一方で、対等な道徳とは何なのか。たとえば、とある銀行が倒産するという噂を聞いたとしましょう。道徳があれば、その銀行との関係を考え、きちんと情報も確かめ、ただちに窓口に直行することなどしないはずです。ところが道徳がなければ、人々は窓口に殺到し争って預金を引き出します。その結果、噂が本当かウソかがわからないうちに、どれだけ誠実に経営していた銀行であっても、きっと潰れてしまうでしょう。つまり、銀行と顧客という対等な関係下でも、道徳は必要なのです。

改革開放40年でわかる3つの成果と3つの欠陥

金　茅さんの重要な指摘のひとつが「人間と人間の等価関係」ですね。

茅　1997年、私が天則経済研究所で提起しました。平たく言えば、個人とはそもそも社会のメンバーの一員で、誰もが他人よりすぐれた地位にいるわけではないということ。数学の集合論的等価概念で人間関係を解釈しました。等価関係には、人権、つまり生存権、プライバシーの権利、言論の自由などが含まれます。これらは、いずれも普遍的な人類の価値です。

一方、ある種の権利を利用して人権を無視したり、蹂躙したりする人たちもいます。これが特権です。そして特権階級のウマ味は、多数ではなく少数のみが享受できるという特徴があります。

中国共産党政府は、この特権階級の典型と言えるでしょう。彼らは大多数の人の人権を踏みにじっています。それどころか、現状の中国共産党政権下では、「人権」という言葉だけですら、いまだ人々の手の届かないところにある〝贅沢品〟なのです。

特権階級だけが好きな勝手できる不平等社会では、彼らが一般の労働者をこき使い、搾取します。そのため、さまざまな腐敗も生じるわけです。

金

実際、中国の改革開放も、最初から「黒猫でも白猫でもネズミを捕るのがいい猫だ」という実利志向のロジックで儲けばかりを追求し、公平性は無視してきました。改革開放から40年を経て、中国は人権、平等問題を乗り越え、民主的な法治国家へと向かうことが可能なのでしょうか。

茅　中国の改革開放40年の成果は3つあります。ひとつめは、国民の所得が増加したこと。ふたつめは、少しだけ社会の自由度が増したこと。そして3つめは世界を知れるようになったこと。一方、欠陥も3つあります。ひとつめは、人治から法治社会への変革が停滞していること。ふたつめは、世論監視のシステムが構築されたこと。そして3つめは、政府が利益ばかりを優先する愚かさを発揮していることです。

そのうえで、金さんの質問への答えは「不確実」となります。世界的に見てみると、全体主義から民主化への移行において、成功と失敗それぞれ事例があるので、それらを深く研究する必要があります。

ポイントは、共産党政権と一般大衆の関係性を、いかに改善できるかにかかっていると思います。政府がスローガンとして掲げる「為人民服務(ウェイレンミンフーウー)」(人民に奉仕する)のように、もっと寛容な態度で人民に奉仕し、いや、奉仕という言葉は語弊があるので、人民にもっとやさしく接するようになるまで、人民は忍耐強く待つことになるでしょう。

それが実現して初めて、民主社会といえます。もっともそうなるには数十年から100年はかかると予想しています。ただし、中国人は40年に及ぶ改革開放のなかで経験を積み上げたうえ、数千年の知恵と文明を持つ民族ですから、決して悲観しているわけではありませんが……。

金 私は拙著『進化できない中国人』(祥伝社)で指摘したのですが、現在の中国人は物質的な財はどんどん増えたにもかかわらず、それとうらはらに精神的に貧困化し、国民性も退化してしまいました。中国のエリート知識人と対談すると、彼らも「精神危機」「信仰危機」に陥った中国人の実態を心配していましたが……。

茅 その通りです。現在われわれの社会の問題は、共通の価値観がないこと。そのうえで、中国人は平気でうそをつき、基本的な事実、真実を認めません。また真相を隠蔽する一方、都合のいいことは水増ししてでも誇張します。真実を言うことにこそ価値があるという、道徳的、そして体制的な条件が社会に欠如しているからでしょう。

ネット上での暴言を加速させる「遺毒」の呪縛

金 こうした道徳の危機の根源は、どこにあるのでしょうか?

茅 原因はさまざまですが、最も重要なのは真実を言えないことにありますね。本音を語れない社会が、どうして進歩できますか。中国では、本当のことを言う際には勇気が必要で、ややもすると大きな犠牲を払うことになりかねません。言論の自由は人間の普遍的道徳であるにもかかわらず。中国共産党が弾圧したり、阻害したりするのは愚かだとしか言いようがありませんね。

金 中国人の「共産主義信仰」は根強く残っているのでしょうか？

茅 どうでしょうね（笑）。いまの時代に共産主義信仰など、もはや必要ありません。中国共産党の内部にも、本当に共産主義を信奉する者は果たしてどれだけいるのやら……。私は中国共産党から離党したいですね。リベラルな知識人のなかには、私と同じ考え方を持つ者が多くいますよ。

金 そんな茅さんに対して、インターネット上では「最大の売国奴」「民族の反逆者」などと、すさまじい誹謗中傷が浴びせられています。どう対処しているのですか？

茅 うーん、基本そのまま無視です（笑）。私に有益な批判はいくらでも歓迎しますが、ほとんどはむやみに私を侮辱したり、罵倒を浴びせたりするくらいですからね。私は、かえって彼らがかわいそうだと思います。教養もなく、道徳心もないから、そういったネットでの攻撃しかできない。結局、自分自身の不満を吐き出しているにすぎないのです。

金 しかし、なぜあれほどの暴言を吐けるのでしょうか？

茅 理性が欠如し、思考が単純すぎるから、たやすく極端になりがちです。その理由は小学校教育とも関係があります。いびつな階級闘争教育を受け、近年は極端な愛国主義プロパガンダによって、自国はすべて正しいと思い込み、過去の問題を反省する機会すら与えられず、しかも他国に対する誤った認識を教えられているからです。また、小学校教育から他人の意見を尊重する教育が欠けています。つまり、文化大革命の「遺毒」がいまだに残っているわけです。

金　そうなんですね。ただ、ネットで人々が暴言を吐く理由はわかりましたが、大学教授や知識人のなかにも低レベルの人身攻撃をする者が少なくありません。

茅　彼らは、他人の思考や知見が自分よりすぐれていると嫉妬するしかないんです（笑）。無知なうえに、まるでヤクザのような知識人もいますから……。情けないですが、これが中国の現状なのです。

金　もちろん、体制からの弾圧も激しいですよね。

茅　2013年に公開された中国共産党のプロパガンダ映画では、私は西側勢力に媚びへつらう知識人だとして、糾弾されました。ちょうど公開当時、金さんの故郷である瀋陽（シェンヤン）と、湖南省の長沙（チャンシャ）で講演が予定されていましたが、嫌がらせの電話や抗議が殺到したため、取りやめになってしまいます。瀋陽では私に反対する人たちが、「茅于軾による反共煽動講演に反対せよ」という横断幕を掲げてデモを行っていたのです。まったく笑えない冗談ですね（笑）。

しかし、私はいまでも屈せず、批判的な姿勢を堅持しています。なぜなら、私には知識人としての使命感があるからです。

「富める人のためにもの申し、貧しき人のために行動する」

金　茅さんの言葉として「為富人説話、為窮人弁事」（富める人のためにもの申し、貧しき人のために行動する）というのが有名ですね。

茅　いま、貧困層のために発言する人は多いけれど、富める人のためにもの申す人は、ほとんどいません。一方、富める人のために仕事をする人は多い反面、貧乏な人のために仕事をする人は少ない。その理由は簡単です。貧困層は弱者の集まりですから、彼らのために代弁すれば、社会から賞賛を受けますよね。しかし、富める人のために発言するのは、中国では難しいのです。なぜなら、我が国ではマルクス理論の影響によって、富める人たちは搾取者と見なされがちですから。

反面、富める人のための仕事は、労働報酬がたくさんもらえますから誰もがやりたがります。結果的に富める人のために発言し、貧困者のために仕事をする人はきわめて少なくなるわけです。

ただし、ここで言う富める人というのは、もちろん誠実にビジネスをした結果、成功した人のことです。富める人の利益、財産は保護されなければなりません。中国人は長いあいだ貧乏だったので、富裕者を敵対視する心理が強いのが特徴です。とくに権力の前では、富める人も貧困者同様いじめられ、搾取されます。

中国政府はしっかりと民間企業や富裕層を守り、産業を育成すべきです。当然、彼らが蓄積してきた財も、否定されてはなりません。貧困者のために発言するのと同様に、人々は成功者のためにもきちんと行動をすべきなのです。

金　茅さんの座右の銘は何ですか？

茅　「他人を助けて人生を享受する」という言葉と、論語にある孔子が語った「温良恭倹譲」（おだやかで、すなおで、うやうやしく、つつましく、ひかえめなこと）の5字です。これに私の人生が凝縮されていますね。

結局、人間として最も大切なのは、他人を尊重するということ。穏健に、謙虚に他者と接し、他人をむやみに疑わないことです。私は人に対する警戒心がないからよく利用され、だまされますが（笑）。まあ、ただ、だまされてもいいんです。他人の利になれば、それでいいんですから（笑）。

金　楽観的な人生観ですね。

茅　そうですよ。快楽を求めるのは人生の最高の理想です。決して富ではありません。快楽を得られるか否かこそが、人間としての生活、そして社会にとって一番大事な基準ではないしょうか。そして快楽と同時に、社会であれ、個人であれ、寛容精神が必要です。建設的な批判に対する寛容がなければなりません。

金 最後に茅さんは中国に何を期待しますか？

茅 私が最も納得いかないのは、中国が依然として独裁社会であること。ですから、中国が一日も早く民主、法治国家へと変貌してほしいですし、その日は、必ず来ると思います。ただ、残念ながら私は見ることができないでしょうが（笑）。

理由 7

「社会的弱者」が70%以上という〝生活不安大国〟に明日はない

~政治学者が冷徹に分析する「官強民弱」社会の致命的欠点~

張鳴(ちょう・めい)

ジャンミン

中国人民大学政治学部教授。政治体制史と中国の地方政治学の第一人者と評される。1957年、浙江省生まれ。その後、黒竜江省で過ごし青年期に農業機械工、獣医などを経験。96年、中国人民大学大学院博士課程を修了し、同大学に赴任する。歴史学部から政治学部に異動し、学部長などを歴任。とりわけ、「政治史公開講座」は同大学で最も人気があり、かつ最も受講するのが難しい授業として高い評価を得た。また、その授業をベースにした著書『重説中国近代史』はロングセラーとなっている。

主な著作——『共和中的帝制』『武夫治国夢』『郷土心路八十年』『郷村社会権力和文化結構的変遷』『歴史的壊脾気』『歴史的底稿』など。

張鳴教授は、現代中国を代表する批判的知識人のひとりである。歴史、政治、教育、国民性から日常に至るまで、常に的を射た厳しい批判を展開してきた。

私が張鳴さんを尊敬する理由は、体制内にいながら、果敢に体制を批判する勇気と知恵だ。張教授は言う。

「批判的知識人であるからには、使命を果たさなければなりません。この社会の不条理、不公平や巨悪が存在する限り、批判できるのは知識人だけですから」

中国の東北3省のひとつ、黒竜江省で長いあいだ暮らした経験のある張さんには、東北人らしい豪放さがあった。

対談はまず大学教育の話題から始まった――。

中国サッカーよりも絶望的な中国の大学の未来

金　現在、中国の大学入試試験「高考（ガオカオ）」には、およそ1000万人が参加し、大学進学率は

中国共産党の党紀に反抗して一定期間、党費をわざと払わないなど、体制内にいながら常に大きな敵と戦い続ける張鳴（右）。

50%を超えたというデータもあります。その一方で、ニセ大学が相当数あるなど、質と量が釣り合っているとは、どれだけ甘めに見ても言えません。一体、中国の大学の実態はどうなっているのでしょうか?

張 以前から私は、中国の大学に対して強く批判してきました。大学の堕落は歯止めがかかりませんし、むしろ、かつてよりさらに勢いよく劣化しています。

私の批判のポイントは、大学がまるでお役所のようになってしまっているということ。いや、最近の大学は、役所よりよほどお役所的になってしまいました。中国のサッカーと中国の大学、どちらが、より将来に希望があるかと記者に聞かれた際、私は中国サッカーのほうが、まだ希望があると答えたんです(笑)。

金 うまいたとえですね(笑)。希望が一向に見えない中国サッカーのほうが、よほどましだということですか。中国の大学は、それくらいダメですか?

張 もちろん、そのたとえ自体は腹立ちまぎれの冗談でもありますが、しかしそう言いたくなるほど、中国の大学は腐敗していますね。

では、その原因はどこにあるか。ほかでもなく、教育機関の産業化にあります。中国の大学は実際、教育利権集団と化してしまいました。大学は、金儲けをする人のための組織に変質してしまったのです。

金　大学に対する監督システムはあるんでしょうか？

張　そういうのはあります。しかし、単なるお飾りというかムダなシステムです。いくら外部から批評をしても、大学にしてみれば「馬耳東風」ですから。こうした現状から言えるのは、それはある意味中国にはたったひとつの大学しか存在しないということ。すなわち「教育部（文科省）大学」です。

その他すべての大学は、この教育部大学の分校にすぎません。いま、中国全土の都市が画一化されていますが、大学も同様に没個性化しつつあります。たとえば世界中のどの大学においても、大学自体が学生の卒業証、学位証書を発行していますが、中国だけはそうではありません。教育部が卒業証、学位証書を出しているのです。この現象自体が、計画教育体制の悪弊と言えるでしょうね。

戦前の中華民国時代ですら、北京大学、清華大学などすべての大学が自分たちで学位証を出していました。ところが、いまの中国の大学には、学問の自治独立など、一体どこにあるのでしょうか？

教育行政は、教授のシラバスをチェックし、研究論文は数を追求するだけ。質などそっちのけです。私が中国の大学は、もはや教育・研究機関ではなく、まるで官僚機関と言ったのはこういうことなのです。

教育機関の〝肥満化〟と墜落する学問のレベル

金 近年中国では、大学の巨大化がはやってますよね。大きな大学と周辺の小さな大学が合併するという形で。先日も、ある地方大学が周辺大学と専門学校を吸収し、その地域で最大規模の大学として変身しました。ところが、その規模ほどの実力や人材養成力を高める効果はなかったと聞きましたが。

張 おっしゃる通りです。1995年に定めた100の大学に重点投資する「211工程」や、その3年後に発表された30以上の大学にやはり重点投資する「985工程」で、主に次の3項目が推し進められました。

①巨額の投資＝少数の名門大学への予算の集中投下
②行政化の強化＝巨額の投資をした分、行政による大学管理の強化
③産業化の進展＝企業の管理システムを導入して、大学教員の待遇の改善

ところが、この3つの改革により進んだこと、それは経済成長によって豊かになった中国

の大学のさらなる肥大化と、行政によるコントロールの強化だけだったのです。大学の収益が10倍以上増えるとともに、国家も内需拡大の一環として大学生の数を増やそうと、定員増加や全国的な学生募集に力を入れています。

金　その結果、大学の肥大化に応じて多くの自治体で、大学都市建設が加速しました。その際に中国らしく、大学法人は不動産、土地開発業者と巧みに手を組んだわけです。

あの1950年代に失敗した「大躍進運動」の大学版ですね。政府が大号令をかけ、鉄や農作物などの増産を求めましたが、無茶なノルマと実施策の過ちで数千万人もの犠牲者を出すなど、国は未曾有の大混乱に陥りました。

張　その通り。これでは、行政主導の「大学株式会社」ができるだけ。その結果、ますます大学の企業化が進み、授業料なども高額になっていくでしょう。また、市場経済と関連のある専攻にばかり力を入れ、基礎学問はおざなりになっていくわけです。こうなると、重点校はいわば〝独占〟状態になりますから、競争も起きず、自然、大学のお役所化、教員の官僚化が進むことなど言うまでもありません。

そして、国が要求する基準、ノルマをクリアするため、大学も教員も実績、論文の偽造やカンニングなどに力を入れる。さらに前述のように〝数〟も大事ですから、学生たちに論文を強制的に書かせようとするわけです。

つまり控えめに言っても、現在の中国の大学の質は史上最低レベルにまで落ちています。一部の個性的な研究分野や学者を除いて、大学全体がずっと下降線を歩んできましたが、いまやまるで空中から墜落するかのような惨状です。正直言って、大半の地方大学は「大学」という看板があるだけ。それらは、もはや大学とは言えません。

金 「大学の危機」から脱する道はありますか？

張 ひと言で言えば、「改革」と「開放」しかありません。

金 それはそうですが、実際に行うのは難しいのでは？

張 たやすいことではないですね。可能ではありますが、中央政府自体が教育産業の既得権者なわけですから、その状態が続く限り改革開放への道は、まさに〝茨(いばら)の道〟となるでしょう。たとえば、中華民国時代のように、教会が学校運営できるような「開放」が進めば、改革へと一歩踏み出せるかもしれませんが……。

執念を燃やせば燃やすほど遠ざかる「ノーベル賞」

金 それにしてもお隣の韓国同様、中国のノーベル賞へのこだわりはすさまじいものがありますね。平和賞（劉暁波(リウシャオボー)、２０１０年）、文学賞（莫言(モーイエン)、２０１２年）、そして医学生理学賞

(屠呦呦、2015年)で、中国人が念願のノーベル賞を受賞しました。まあ、平和賞は念願ではないでしょうが(笑)。しかし、その数は中国の大学、人口と比べたら、あまりにも少ない。一方、戦後の日本は、30名ほどのノーベル賞受賞者を輩出しました。張さんは、これについてどう思いますか?

張 中国人のノーベル賞への執念は、挙国一致ですね。2012年、政府は「万人計画」と呼ばれる人材獲得プログラムを発表しました。これは、科学技術分野で優秀な1万人を選抜し、さらにそこから最優秀の100人を選び、ノーベル賞受賞者育成を狙うというもの。しかし、実はこのような計画は昔から何度も立てられていました。いずれも、当初は威勢のいいスローガンが飛び交いましたが、結局巨額の予算をムダ遣いしただけ。ノーベル賞のかけらすら取れませんでした(笑)。

金 なるほど(笑)。全体主義の中国らしい話ですね。

張 挙国一致体制は、スポーツの分野では効果的かもしれません。一気に鍛えて、短期間で結果を出すという感じで。しかし、ソ連という前例を見ればわかる通り、基礎科学では難しいでしょう。

そもそも、一国の科学力は、その国の教育、研究体制と密接な関係があります。さらにノーベル賞クラスの研究ともなれば、全体的な科学技術レベルがきわめて高く、社会の学術環境が整備されてなければなりません。各ノーベル賞のなかで自然科学の受賞者がもっとも多い国はすべて、科学研究レベルが最高の国です。

金 その通りですね。

張 現在、GDP世界第2位の経済大国としては、わが国の科学、教育水準は、まだまだ低レベルです。日本に比べても、格差の大きい〝教育後進国〟と言ってもいいでしょう。中国の教育スタイルは、いまだにただ正しい答えだけを求める「標準答案式」です。これですと、中国の学生は国際的な学力オリンピックでは優勝できるかもしれません。しかし科学研究分野の底上げ、その後のノーベル賞受賞まで行き着くことはできないでしょう。ノーベル賞を取りたければ、最優先にすべきことは「〇〇工程」といった見かけ倒しの政策を導入することではなく、教育と科学研究の体系を改革し、行政主導、学閥主導の学問と縁を切らなければなりません。

エリートの半数が〝不幸〟という衝撃の記録

金 なるほど。鋭い指摘ですね。さらに、学問を含む国の総合的なソフトパワーを測るには、その国民の満足度、幸福感がひとつのバロメーターになります。

改革開放から40年を経た現在、生活レベルは向上したにもかかわらず、人々の幸福度と相関する重要な精神的、文化的次元ではこれといった進化が見えません。上海、北京などの大都会の人々の表情が、日本に比べてもさほど明るくないように思われます。張さんは、現代中国人の日常生活について、どうお考えでしょうか？

張　私は数年前からブログでも書いていますが、雑誌『人民論壇』の調査によると、働いている人の58％、知識人の55％、そしてなんと党幹部の45％が、自分のことを「弱勢群体」（社会的弱者）だと考えている、という結果が出ました。また、インターネットのアンケートでも、自分のことを「社会的弱者」だと思っている人が70％に上っています。

金　えっ⁉　党幹部、知識人といえば社会のエリート階層です。そんなはずが……。

張　そう思いますよね。さらに驚くことに、日頃威圧的な警察関係者も記者のインタビューに答えて、「自分たちも社会的弱者だから、保護をされるべきだ」と訴えたといいます。

「冗談じゃない！」と言いたいところですが、しかし彼らの訴えも、まったくのウソではないと思います。知識人も官僚もサラリーマンも警察官も皆、重くのしかかる住宅ローンや高い家賃、跳ね上がる子どもの教育費、そして物価高騰にあえいでいますから。ただし、そういう人たちに「いやなら、最下層の農民工にでもなれば」と言っても、誰ひとり「はい」とは言わないでしょうが（笑）。

金　幸福感を感じている人が少ないということは、つまりは「生活の質」が低いということですよね。

張　その通りです。誰もが生活に対する満足感、充実感がありません。少数ならいざ知らず、70％以上の国民、それも上位エリート層を含む多くの人たちが、生活に満足できないという事実は、非常に大きな問題ですね。

改革開放から40年来、経済は飛躍的に発展しましたが、富の増加は幸福感の向上をもたらしていません。それどころか多くの国民は、幸福度が減少し、安心感もないという不満を抱いているのです。

その結果、国民は国外脱出を選びます。移住、移民や留学といった手段で、中国を見捨ててしまうわけです。

金　はなはだしきは、「アメリカには民主も自由もない」と批判していた、いわゆる〝愛国少女〟がアメリカ人男性と結婚したり、移住してアメリカ国籍を取得したりしてしまうケースも少なくありません。

張　そうですね（笑）。やはり、私の考えではもっと改革を徹底して推し進めるべきだと思います。国民の不満の声は、つまりは「変革への叫び」ですから。

横断歩道とトイレットペーパーが物語る文明的レベル

金　日常の細かい話になりますが、私は中国へ来るたびに、恐れることがふたつあります。ひとつは、トイレを使うこと。もうひとつは、横断歩道を渡ることです。大学構内のトイレにすらトイレットペーパーが備えられていませんから、いつも大変です。

張　なるほど。トイレットペーパーを備えつけないのは、財政問題だという話もありますし、盗難が頻発しているのもあるらしいですね。

金　GDP世界第2位の経済大国が、たかがトイレットペーパーを常備するカネすらないというのは、さすがに理解に苦しみますが……。復旦大学の著名な地理歴史学者の葛剣雄（グジェンション）教授も、中国より経済水準が低いアフリカの大学ですら、トイレには必ずトイレットペーパーが置かれていると言っていました。

張　しかも、その少ないトイレットペーパーまで盗むわけですから、中国国民の文明レベルはもはや世界最下位です。横断歩道を渡りづらいというのは、結局、歩行者も車を運転する人たちも、「青信号は通行」「赤信号は停止」という法的、社会的に最低ルールさえも眼中にないことを物語っています。つまり、故郷のあぜ道を歩くのとまったく同じ感覚で、自分さえ渡れればいいとしか考えない農耕文化の悪弊ですね。

金　ただし、私が観察したところ、赤信号のとき急いで渡る人は、実はとくに急用などありません。なぜなら、向こう側に渡った途端、たいていの場合、スマートフォンを見ながらゆっくり歩いていますから（笑）。

張　それがすなわち習慣ですね。昔から信号無視をしても誰からも何も言われないため、それが自然なこととなってしまいました。

一方、中国の都市はどこも自動車の洪水が起きていますが、中国人にとって自動車は歩行の代用品でなく、富裕層の自慢の一品なのです。若者たちは、銀行から借金してでも外国製の高級車を買い求めます。ベンツ、ＢＭＷなどは、まさにお金持ちのシンボルです。そして、自分には財があることを誇示するため、猛スピードで車を飛ばすわけですね。歩いている人をまったく無視した、まさに「傍若無人」な行動です。だから、金先生のように海外の先進国から来た人々にとって、中国で横断歩道を渡るのは一種の苦痛になってしまいます。

金　自動車は文明の象徴でもある反面、言ってしまえば人間にとって移動手段のひとつにすぎません。

張　だから、中国には「自動車の時代」はあっても、「自動車の文化」はないのです。

常に強者が弱者を叩くという中国人のDNA

金 フランス革命と政治体制の変換が、国民にどのような影響を与えたのかを分析した、フランス人政治思想家アレクシス・ド・トクヴィルの『旧体制と大革命』を読みながら、私は18世紀後半の革命前後のフランスが、まるで21世紀の中国を予言していたかのような感覚を強烈に覚えました。この本は習近平（シージンピン）ら中国共産党指導部の統治にも、大きな影響を与えたといわれています。そこで張さんに伺いたいのですが、中国の国家と国民の関係性をどう見ればいいのでしょうか？

張 面白い視点ですね。中国では、秦、漢の時代から2000年以上ものあいだ、官僚型帝国体制が維持されてきました。そして、社会に最も強い影響を与えたのが、こうした国と民との関係だったのです。

社会運営の主体はずっと官僚でしたから、民の不満の声は国の統制で治まりました。また、社会のエリート、知識人も民と一線を引いて、官と癒着していたわけですね。

これは現在も一緒。国家、官僚の権力があまりにも強いので、たとえ国民が国に抵抗して訴えなどを起こし、マスコミが支援しても、結局最後は上層たる官の悪行を抑制することはできません。

金 官僚を監視する法的メカニズムが正常に機能しない〝人治社会〟の中国で、官の権力に自ら屈服してしまう……。これがひとつの国民性として定着してしまったわけですね。

張 理性的な意見ですら、官は自分たちに反するものと見なして、強烈なプレッシャーをかけてきます。そうした社会では、人々は自由に生きることなどできません。この対談の最初の話題に戻ると、大学も同じ状況です。国の言うことを聞かない人間は、もれなく攻撃されたりパージされたりします。ですから、アカデミズムの世界ですら、ウソ、事実のねじ曲げ、あるいはワイロが横行するわけです。

金 官民の関係力学は恐ろしいばかりですね。そうしたいびつな状況を解決する方法はあるのでしょうか？

張 正直、「官強民弱」の社会的土壌が強固ですから、この関係を解決する妙案はまだないと思います。やはり、大胆な改革が必要ですが、なかなか難しいでしょう。それは国家の仕事でもありますから……。

金 私は比較文化学者として、常に日中韓3カ国の国民性に関心を寄せてきました。なかでも中国では、人間の尊厳がむやみに蹂躙され、人間性が軽視される傾向があまりにも強いと思います。張さんは、これについてどうお考えでしょうか？

張 そうですね。中国では、権力がある側が、それを利用して人のプライバシーまでくまなく犯し、相手のプライドをズタズタにすることで、権力のウマ味を味わうかのような〝悪趣味〟が伝統としてあります。私が小さい頃、いたずらをした生徒に罰を与えるため、先生が全員の前でその子のプライバシーやテストの点数をバラしたこともありました。
上司と部下の関係においても、主従関係とほとんど変わりません。気に入らない部下がいれば、さまざまな手段を用いて、その尊厳を傷つけることなど日常茶飯事です。
中国では上に立つ者が、物理的のみならず精神的にも下の者を叩くものだという権力者としての意識が、DNAとして連綿と引き継がれてきています。しかも、政治家や官僚のような権力者だけでなく、社会全般でそうした傾向が見られるのが問題です。家庭では親が子どもに対して、社会では都会の生活者が弱者や地方から出てきた貧しい農民工に対して、自然と優越的な意識を持ち、相手の尊厳を傷つけるような出来事が、日常的に起こっていますね。

金 尊厳とは、ある意味人権よりも大事なもので、人間が人間であることを保障する基本的条件でしょう。

張 尊厳が蹂躙されたり、無視されたりするような社会など、とてもではありませんが「人間社会」とは呼べません。人間の尊厳がしっかり守られる社会こそ正常な社会だということを、中国人に訴え続けるしかありませんね。

金　張さんは2007年、上司である中国人民大学の国際関係学院長に対し、公然と人事について非難しました。張さんは、主任の職は追われましたが、リベラル知識人としての独立の精神を守りきったという点で、アカデミズムからの尊敬の念を勝ち取りましたね。

張　私が批判的知識人のひとりとしてそうした行動に出るのは、中国の官僚体制、そして社会に存在するあるゆる不平等、不条理を改善したいと考えているからです。私の信念は、象牙の塔にこもって学問をするのではなく、社会のために学問を活用すること。ですから、今後も社会批判を続けるつもりです。この世に悪が存在する限り、渾身の力を振り絞ってペンで戦います。

私が批判することで、どんな困難が降りかかっても、上層部からいかに弾圧されようと、私はただひたすら自分の良心から出される〝指令〟に従うだけです。それが、私の生き方そのものですから。

理由 8

中国のナショナリズムは、陳腐で幼稚な「種族主義」である

～行動する人文学者が考える21世紀の中国の課題～

チエンリチュン
銭理群（せん・りぐん）

元北京大学文学部教授。現代中国を代表する魯迅研究者として、80年代以降、最も強い影響力を持つ人文学者のひとり。

1939年、重慶生まれ。56年、北京大学文学部新聞学科に入学。60年、同学科を合併した中国人民大学新聞学科を卒業。中学校などの教師を務める。78年、北京大学の大学院に入学し、81年から同校の教壇に立つ。98年、「北京大学10大優秀教授」のトップに選出。2002年に退職後、農村地域の中学で教育に当たる。

12年に教職を辞し、現場の外側から教育に携わり続けることを宣言。魯迅やその弟である周作人の研究の他、20世紀中国の思想、文学、社会に関する分析で高い評価を得ている。

主な著作――『毛沢東と中国―ある知識人による中華人民共和国史 上・下』（青土社）、『新世紀の中国文学―モダンからポストモダンへ』（白帝社）、『心霊的探尋』『周作人論』『豊富的痛苦』『我的精神自伝』『1948：天地玄黄』『銭理群講学録』『新語文読本』など。

銭理群さんは1980年以降、現代中国人文アカデミズムで最も大きな影響力を誇ってきた大物のひとりである。北京大学文学部の教授として、魯迅、そしてその弟の周作人研究の泰斗として知られている。

また、定年後は民間教育の世界へと転身し、悪戦苦闘しながら「中国教育の失敗」を訴え、注目を集めた。

私は銭さんを尊敬し、いつかお会いして話をしたく考えていた。そんな私の想いは、思ったより早く実現する。本書の「理由10」にも登場する中国社会科学院王学泰さんと北京大学文学部主任の陳暁明教授のつながりで、たやすく銭さんと連絡を取ることができたのだ。

電話から聞こえてくる銭さんの声は若干しわがれてはいたものの、人を惹きつけてやまないやわらかい〝磁場〟のようなものを感じた。

「あ、日本に住んでいる比較文化学者の金文学さんですね。東アジア3国を文化面から比較した著作を何冊か読んで知っていました。いま私は北京市内ではなく昌平（北京郊外にある町）の老人ホームで妻と一緒に暮らしてます。北京からここまで来るのに不便でしょうが……」

私はこう答えた。

「いや、距離は問題ないです。銭先生にお会いできればなによりですから」

「熱烈に歓迎いたしますよ」

そう言うと銭さんは、わかりやすく詳しい住所とアクセス方法を教えてくれた。

小柄で丸い顔が特徴的だった銭教授は、街中で出会える普通の老人、やさしい老人そのものであった――。

教科書も保護者も利益の源となった中国の教育システム

金　銭さんは2002年に北京大学を退職したのち、12年間地方の中学校教師に身を転じました。本来、家で悠々自適、執筆、読書を楽しむところ、なぜ中学教育に携わるようになったのでしょうか?

銭　実は私は1998年頃から、中学校の国語教育に関心を抱いていました。その動機はふたつあります。ひとつは中国の諸問題で最も根源的問題が教育だと悟ったからです。ある程度、年を重ねいろいろな経験をした結果、世の中に絶望する人もいますが、何も知らない子どもたちを絶望させるわけにはいきません。

もうひとつは、知識人が中学で教鞭をとるのは、実は中国近代の伝統だからです。魯迅なども、中学で教えていたことがあります。

そこで私が選んだ場所が、18年間住んでいた貴州（グイジョウ）でした。郷土教材『貴州読本』を編纂し「自分の足元を知る」というテーマで、教育を行ったのです。以前にも北京などの都心部で同じような教育にトライしてみましたが、政治的イデオロギーなどの障害物があまりにも大きく、断念しました。

10数年に及ぶ地方での中学教育の実践において、多くの困難にも直面し、ときには涙を流すこともありましたが、非常にやりがいのある仕事だったと思います。このように、私の精神面での故郷は北京大学と貴州というふたつの土地です。中心と辺境、高いところと低いところ、エリートと庶民……。このように二元的な人生を送っている人は、中国のアカデミズムにおいては私以外ほとんどいませんね。

金 銭さんの苦闘は、中国の教育界でもっとに知られています。では、銭さんが考える中国の教育改革の問題点は何でしょう？

夫人の体調不良にともない、2015年に老人ホームへと移り住んだ銭理群（左）。この行動が、中国人にとってのいわゆる“終活”のあり方をめぐる大きな議論を呼んだ。

銭　観念や思想ではなく、利益の問題ですね。なぜかというと、教育自体が芋づる式に利益を生み出す構造になっているわけです。教育行政はもとより、そこに関連するあらゆる分野、さらには教科書や保護者までも、そこに巻き込まれています。

たとえば、受験勉強のための詰め込み教育を、もっと広く人間力を上げるための教育へとどう転換させるか、という問題提起がありますが、これはまったく実現できていません。なぜなら、受験教育をなくしてしまったら、そこに携わっていた人たちの「鉄飯碗（ティエファンワン）」（食いっぱぐれのない確実な仕事、職種）がなくなり、多くの人々が利潤を失います。だから、そういった人たちは徹底的に反対するわけです。

実際、私が中学校教育において改革に乗り出そうとしたところ、彼らは全力で私を排除してきました。その理由は明らかです。私が、彼らの利益の源泉に入り込んだからですね。だから私は、教育関係者にとってまさに「不倶戴天（ふぐたいてん）の敵」となってしまいました（笑）。

大事なのは「大きな問題を考え、小さな行動で実践する」こと

金　中国教育は初等レベルに至るまで、〝実利〟という怪物に完全に食い荒らされているわけですね。２０１４年に、銭さんは年齢を理由に中学校教育から離れましたが、いまも教育

に関心はあるのでしょうか。

銭　むしろ、関心は一段と強くなりました。私は「学者」より「教育者」と呼ばれるほうが好きなんですね。教員は、私の気質と理想に最も合う職業です。

金　行動する知識人、思想家として「大きな問題を考え、小さな行動で実践する」とおっしゃっていたのが印象的です。

銭　率直に言えば、その言葉には現実の前で何もできないむなしさと、それでも具体的に批判を行っていくという、双方の意味を含んでいます。中国共産党による一党独裁体制のもとで、できる限り自身の権利を守り、自身の意見、批判を表明していく。つまり、常に自分自身の確固たる思考を堅持するのが大事だと考えています。
また、積極的に行動に移し、規模は小さいけれども確実に社会的に有益な仕事を行う。こうして、自分の考えを日常生活で実践していくのが大事なのです。2014年以降、私は中学教育の現場ではなく、「教育とは離れたところで教育を語る」ことに専念してます。その理由は、本当の教育者は教育だけではなく、ジャンルの壁を超えて社会の変革にも関心を持ち、それを実践すべきだと考えているからです。

金　それにしても、銭さんは波乱万丈の人生を送っていますね。共産革命、闘争、文化大革命という激動の時代の連続にもかかわらず、その荒波に飲み込まれずに自身の学問、思想を

銭　形成されたことはすごいことだと感心しました。

ありがとうございます。1939年生まれの私は、おっしゃる通り青壮年期をすさまじい革命と闘争のなかで過ごしました。

文革のさなかには、「反革命」という濡れ衣を着せられ、ひどい目にあったこともあります。文革の最大の罪悪は人間の内にある〝悪〟を刺激し、その悪を最大限膨張させ人間を〝ケダモノ〟へと変容させたこと。そして、そこからさらに社会全体に、そうした悪を横行させたことです。

われわれがこうした苦難、苦痛を経験した後にやるべきは、それを美化して一種の自慢話にすることではありません。そうではなく、理性的に自身の経験、体験を振り返り、自分の精神的な柱になるようとことん向き合うことなのです。私はひとりの知識人として、このような使命感を原点としています。もちろん、私の人生のみならず、学問のスタート地点もそこにあると言っていいでしょう。

100年前に魯迅が見抜いていた中国人の「奴隷根性」

金　そんな銭さんが考える、いま中国人の精神で一番欠けているものは何でしょうか？

銭　いまや中国はGDP世界第2位の経済大国になり、生活の質も向上しましたが、一番問題となっているのが精神の貧困です。物理的な生活の質よりも、よほど大きな問題でしょう。現代中国の制度、文化、価値を見直し、国民性を向上させなければなりません。
そのためには、次の3つのことをすべきではないでしょうか。ひとつは歴史的な経験、教訓を総括すること。さらには、いまそこにある現実を考え直し、問題点について反省すること。そして最後に、そうしたことを一過性のものにせず、理論にまで高めることです。知識人にとって一番大きな、かつ大事な仕事は、そうした新しい価値観、新しい理念を提供することです。しかし正直、私たちの世代には力不足ですね。実力が足りません。ですから、新しい世代に託すべきだと考えます。

金　官民力を合わせて、やるべきなのでしょうか。

銭　いや、私は官に対して期待していません。政府が一体何をやってくれるというのでしょうか。調子のいい話ばかり吹聴して、知識人を取り込むことしか考えていませんから。だから私は信用していないのです。そうではなく、民間のパワーこそ頼りにすべきでしょう。上からではなく下から新しい〝道〟をつくるのです。巨大な民のパワーは侮れません。

金　現在、中国人の民族主義、文化的ナショナリズムは大変高揚していますが、銭さんはどうお考えでしょうか？

銭　中国では「数百年来、中国がこのような〝盛世〟を迎えたことはない」「ある日、われわれは世界の大国の国民となった」「わが国は世界で最もすばらしい国だ」などと声高に叫ばれています。しかし、こうした民族主義、愛国主義が極端に盛り上がると、国家主義、軍国主義へと容易に変質してしまう恐れが十分あるというのが私の考えです。

ご存じのように世界の近代史、現代史が、すでにこれを立証しているのではないでしょうか。たとえば近代日本で民族主義、国家主義が高揚した結果、軍国主義へと変貌して、アジア全域を苦しめた過去は、アジアの人は誰も忘れないでしょう。

近年、中国も、日本も、韓国も、そして北朝鮮も、民族主義、国家主義を前面に出して、お互いに対抗し合っていますが、本当に「歴史を鏡とする」ならば、相互に自重し、過去の忌々(いまいま)しい軍国主義が二度と起こらないように警戒すべきです。とくに中国の狭隘(きょうあい)な民族主義は、実は西洋の民族主義とは違い、一種の「種族主義」ですから。

金　種族主義というと?

銭　中国の民族主義には、西洋や日本のようにきちんと思考したうえで理論を導き出すという側面が欠落しています。つまり、日本やアメリカを敵と見なす単なる敵対的情緒にすぎません。中華民族はすぐれていたにもかかわらず、日本人というちっぽけな「鬼子(グイズ)」(中華圏における日本人の蔑称)にやられたという恨みから生まれた、きわめて陳腐で幼稚な感情の発露なのです。

私は、日本は紳士の国だと思っています。謝罪ばかりする反面、何ら反論をしないという謙虚さがありますから。ところが、中国の種族主義的な反日感情によって、戦後の生まれ変わった日本と再び、一種の「戦争」状態になってしまいました。日本は、中国の政府や民衆にとって都合のいい〝標的〟なのです。ですから、いま必要なのは日本の反省ではなく「中国の反省」だと言えるでしょう。

金 面白い指摘ですね。中国で愛国主義、民族主義が盛んに叫ばれている裏には、むしろ中国人には本当の愛国心、民族愛というファクターが欠けているからだと思います。「愛国、文明、自由」など、日本を含む西洋の先進国では、もはやほとんど使われてない〝死語〟が乱舞してますから。トイレの便器の上にまで「愛国」「文明」などの標語が掲げられているのは、もはや「お笑い」としか言いようがありません（笑）。

こうした点からも、中国は近代国民国家とはやはりほど遠い国と思います。成熟した国民、いわゆる中国で強調する「公民」は、いまだに社会的に存在していませんから。つまり「未完の国民国家」と言えるのではないでしょうか。

銭 その通りですね。中国は経済、生活面では大幅に豊かになったけれど、国民の内実、つまり国民性に大きな欠陥が残っています。

私が文豪魯迅の研究家として言えること、それは魯迅がいまも特別な存在であり続けているのは、他の作家とは違って彼の思想に現実的な意義があるからです。中国のナショナリズムが膨らんでいくなかで、こうした現象に対する魯迅の鋭い知見、批判は私たちに新たな視点を提供してくれます。

魯迅が生涯、中国人の国民性の改造に取り組み続けたのは、中国人の精神に巣食う弱点や問題があまりにも多かったからでした。1905年、魯迅は「立国」のためには、まず「立人」すべしという思想を強調します。「立人」とは個人個人の精神的自由、人格の独立を果たした状態のこと。つまり魯迅の目から見ると、いくら科学が発達し、物質的な生活が豊かになっても、中国人が個人としての自由、独立した人格を獲得していない限り、中国という国は決して近代文明国家になれないということだったのです。

銭　それが魯迅の現代的意義ということですね。

金　その通りです。魯迅は中国人の国民性にさまざまな批判を寄せましたが、大きく3つを要約してみましょう。

①国民性の中心を占める奴隷根性

②歴代王朝、政権が常に「一治一乱」を繰り返してきた歴史的反復性

③ふたつの社会問題、すなわちひとつは、中国民族は「食人民族」、つまり人を食う民族だということと、もうひとつは演技することと欺瞞が大好きな民族ということ

金 なるほど。魯迅の「食人」とは、実はふたつの次元を指していますよね。つまりひとつは精神的比喩。そして、もうひとつは実際に中国人は歴史的に人の肉を食うこと。魯迅は代表作『狂人日記』を書く前に、実際に北京の新聞で人肉を食べた事件の記事を何度も見ていますからね。

銭 その通りです。先に私が挙げた3つの問題を総じて、魯迅は中国人の国民性における「劣（リエ）根性（ゲンシン）」（下劣さ）ととらえました。近年、アカデミズムの世界では「国民性」という概念を否定する学者もいますが、私は「国民性」は明らかに存在すると思います。もちろん個人差はあるにしても、皆同じ歴史的体験を共有し、地理、風土も同じような条件で育まれてきた国民的な性質、民族的な傾向は高い同質性を有しているのです。

やがてのさばる狡知な利己主義者たち

金 まったく同感です。とにかく、中国人の国民性向上は最大の急務だと思います。さらに銭

さんは、中国の歪んだ教育システムのなかで育成されたエリートのことを「狡知（こうち）な利己主義者」だと批判していますね。それは、どういうものなのでしょうか？

銭　数年前、とある座談会で私は次のように述べました。

「北京大学も含めた中国の大学では、いま〝狡知な利己主義者〟を育成しています。彼らはＩＱは高いですが世俗的でこざかしく、しかも演ずることに長けています。体制にも迎合しさまざまな力を利用して、自分のゴールだけを追求するのです。このような人間が官僚となって権力を握ると、これまでよりいっそう弊害が大きくなるでしょう」

私のこの発言は大きな反響を巻き起こしましたね。

金　「狡知な利己主義」は、中国の教育の失敗を物語っているということでしょうか？

銭　その通りです。改革開放以来、とりわけ近年、中国の大学教育は株式会社のような性質に変化してしまいました。学風は軽く功利のみを追求し、たしかに技術のレベルは向上したかもしれませんが、学術成果はみすぼらしい限りです。教育の現場に功利主義が蔓延した結果、商売優先で学生の質が急速に低下し、最高学府である大学においてさえ、もはや優秀な人材を養成できなくなっています。

しかも、それればかりではありません。「世界一流の大学をつくる！」というスローガンの下で、大学の教室をホテル並みに豪華につくるなど、外見だけに力を入れ、肝心の中身がまったく伴っていないのです。このように、中国の大学教育は見事に失敗してしまいました（笑）。こうなると、中国の未来が本当に心配でならないですね。

金　にもかかわらず、中国では「21世紀は中国の世紀だ」と主張する人が多いですね。銭さんはどうお考えですか？

銭　とんでもない戯言（ざれごと）ですね。魯迅が看破したような誇大妄想、自国の現状、実力をまったく理解していないまさに「夜郎自大（やろうじだい）」そのものです。もちろん、そうした勇ましいスローガンが、一部の愛国者や体制礼賛派の知識人にとっての〝悲願〟であることはわかります。しかし、当たり前の話ですが、どこか一国の文化が世界の中心になるなどということはあり得ません。もちろん、経済成長の影響で、中国文化に対する理解も広がり、世界での注目度がいい意味でも悪い意味でも高まる可能性はあります。それにしても、「21世紀は中国の世紀」などというように、中国が世界を支配する時代が来ることなど、到底考えられません。

金　同感です。中国が世界をリードする知識体系や価値体系を打ち立てない限り、単なる虚言、妄言にすぎませんね。

銭　私に言わせれば、21世紀は多文化の世紀です。どんな文化や理念も、グローバルに支配的になることなどあり得ません。かつてイギリスは、そうしようとしましたが、うまくいきませんでした。そしてアメリカの思う通りにも、世界はならないですね（笑）。

中国がこのような考えを持つこと自体、まさに白昼夢にすぎません。「中国文化は、こんなにもすばらしい！」「中国人は世界で最も偉大な民族だ！」などと放言するのは、かえって自信がないことの表れなのです。

孔子の力で中国だけを救うことは可能であっても、全世界を救うのは不可能です（笑）。儒教は単なる一思想にすぎません。私は生涯魯迅を研究してきましたが、魯迅の思想がすべてだと考えたことなど一度もありませんし……。私にとってさえ、魯迅の思想は大切な精神的な源泉のひとつくらいなもの。しかも、これすらも私の一見解にすぎません。思想、文化なんてそんなものなんですよ（笑）。

銭　するとそれ銭さんは21世紀、中国の進むべき方向はどちらだと思いますか。

金　私の考えとしては、東洋文化と西洋文化のすぐれた部分を吸収する方向がいいと思います。東洋文化のなかでも、日本や韓国はもとよりインドなどの文化も重視したほうがいいでしょう。そのうえで中国が進むべき方向は、こうした文化を合わせ、そして昇華させることにあると思います。

理由 9

歪曲、隠蔽という悪習から「歴史の真実」を守り続ける

~恐れを知らない歴史学者が語る後世への使命~

ヤンティエンシー
楊天石（よう・てんせき）

中国社会科学院名誉学部委員、近代史研究所研究員。著名な近現代史学者で、ことに中華民国史、国民党の研究を行い、蔣介石研究の第一人者とされる。
1936年、江蘇省生まれ。55年、北京大学文学部に進学。60年に卒業後、中学教師を務めたのち78年、中国社会科学院近代史研究所に勤務。88年、研究員。94年、博士課程指導教官。『ジャパン・アズ・ナンバーワン』の著者、エズラ・ヴォーゲル博士など、世界的な学者との共同研究も多い。

主な著作――『找尋真実的蔣介石：蔣介石日記解読』『楊天石近代史文存』『楊天石文集』『蔣氏秘档与蔣介石真相』『朱熹』『海外訪史録』など。

楊天石さんは、中国近現代史研究界のエリート学者である。30余年来、近現代史の真相を探る長い道程のなかでも、とくにタブーを破り、蔣介石研究に果敢に取り組んだ第一人者として広く知られる人物だ。

彼は、中国本土で最初に『蔣介石日記』の研究を手がけた学者でもある。2006年3月、アメリカのスタンフォード大学フーバー研究所が、蔣介石の日記を公開するや否や、ただちに飛んで行き、読破し、肉筆で書き写した。

そして2008年から、楊さんは「蔣介石日記解読シリーズ」を数冊出版し、中国の史学界はもちろんのこと、一般の読者のあいだでも大きな反響を巻き起こしたのだ。

楊さんは、こう主張する。

「歴史上の人物の研究、評価は、主に当事者の言葉と行為が根拠になります。蔣介石の日記は、当然のことながらプライベートなものだったため、生前一度も公開されたことはありません。そして実際にこの目で見た日記のなかには、政界の秘密と蔣介石個人の内心、そして世界に対する見方があちこちに記されていました。

ですから、この日記は重要な史料になる価値があります。しかし、日記という記録を見るだけでは、研究たり得ません。あまたの文書、文献なども精密に探究して、初めて歴史の奥深くにある秘密を発見できるのです」

そんなある日、「楊さんが上海の図書館で一般向けの講演を行うので、終了後、私との対談が可能だ」という友人からの連絡があった。

ときを待たずに講演会場に飛んで行き、楊さんと初対面した。１９３６年生まれの楊さんは、気さくでさわやかな気品ある年輩者であった。

対談は、前述の上海の図書館で行われた「抗日戦争」（日中戦争）に関する講演の話題を切り口に始まった——。

戦争の敗者だけでなく、勝者にとっても反省は欠かせない

金　楊さんの「抗日戦争」の真相に関する講演を感銘深く拝聴しました。そこで、戦争をいかに記憶し、反省するかに関する話題から始めましょうか。

楊　ええ。「歴史の記憶」というのは反省のためにあるのだと思います。反省とそれを踏まえた実践は、歴史認識において最も基本的な要素です。20年ほど前までは抗日戦争について、

中国共産党は「蔣介石は戦いに消極的で日本に反攻せず、山の奥に隠れていたにもかかわらず、中国共産党が抗日戦争で得た勝利という成果を盗もうとした」と喧伝していました。教科書で私たちはそう教わりました。

楊 しかし、研究が進められている抗日戦争の記録や、蔣介石の日記をはじめとする国民党関係の史実をつぶさに研究すれば、中国共産党の結論に大きな過ちがあったのは明らかです。

金 歴史の記憶は反省を基盤とすべきもの。抗日戦争の記憶を正しく認識するためには、軍国日本の侵略に対してもっと細部のデータ、実証的研究を積み重ねなければなりません。さらに、なぜ日本に国土を蹂躙されたかについても、自己反省を忘れてはならないと思います。戦争の敗者にとってだけでなく、勝者にとっても反省は欠かせないものなのです。

楊 たしかに、そうですね。

金 歴史を記憶したり、歴史を振り返ったりするという行為がなぜ必要なのか。それは、そこから何らかの教訓を得るためです。ところが歴史の記録というものは、しばしば真実が隠蔽されていたり虚言で覆われていることがあります。それを果敢にくつがえすのが、歴史学者、知識人の使命ではないでしょうか。

歴史の〝命〟は、なかんずく真実にある。だから、歴史の研究においては、いかなる神聖化も歪曲も禁物です。しかし、このようなタブーを犯すことが、何度も繰り返されてきま

蔣介石研究に生涯をかけている楊天石。1983年から蔣介石日記探しのため、南京や台湾など蔣介石ゆかりの土地を何年もめぐり、ついに23年後の2006年、アメリカのスタンフォード大学で原本に出会うことができたという。

した。

無論、これは歴史学者自身の資質の問題でもありますが、やはりそうしたことを引きおこす環境、つまり体制の問題が一番大きいと思います。権力者は歴史上の出来事や人物を「神聖化」、あるいは「醜悪化」することを強要するので、学者も一般の人々も往々にして、それに迎合せざるを得なくなるわけです。

金　ことに中国のような一党独裁体制では、このような〝強要力〟は非常に強いですし、その結果、間違った歴史が「常識」になってしまうことも多々ありました。だからこそ、知識人の良識、良心が必要なのです。

楊さんは、常に真実を追求し続けています。ただ、いまの中国のような環境では、なかなか難しい選択ですが……。

楊　たしかに歴史の真実を探る道は、決して平坦ではありません。私は2002年に蔣介石に関する1冊の本を出版しました。内容は蔣介石が秘密裏に保管していた書類に依拠して、蔣介石の生涯を研究したものです。

この本が出版されるや否や、一部の人々が匿名で政府の指導者へ密告の手紙を出しました。「蔣介石はいかなる人物か。戦犯中の戦犯で、中華民族のゴミ、千古の罪人ではないか。中国社会科学院の楊天石という者は、公然と蔣介石を『民族英雄』と評しているのだから、党中央で厳格に調査して厳しい処分を加えるべきだ」と（笑）。ところが、私の本には「民族英雄」という4文字はまったく出てきません。にもかかわらず党中央は、中国社会科学院に私の本を検閲するように命じました。その結果、どうなったかわかりますか。結論は、私の本は「着実な研究を記した学術書」であり、「決して蔣介石を美化した本ではない」となったのです（笑）。

金　中国ではよくあることですね（笑）。私も以前、似たような苦い経験をしましたからわかります。知識人はだいたい2種類ありますよね。権力を批判し真実を追求する知識人と、権力におもねり迎合するタイプ。しかも後者が前者を陥れたり、権力を盾にして窮地に追い込んだりすることも、往々にしてあるわけです。中国には後者のほうが圧倒的に多くいますが（笑）。

蔣介石の話に戻りますが、楊さんは近現代の人物のなかで、なぜ蔣介石を研究対象に選んだのでしょうか？

タブーだった蔣介石の真相を解き明かす

楊　中国近現代史には数多くの人物が登場しますが、中国の運命や歴史の進路を変えた中心的な人物は、そう多くはいません。清朝末期は康有為（こうゆうい）、1911年の辛亥（しんがい）革命の時代は孫（そん）文（ぶん）、そして1919年に起きた反日、反帝国主義運動である「五四運動」以降は、蔣介石と毛沢東です。

金　20世紀の中国は、蔣介石と毛沢東の世紀と言えますね。

楊　ええ。蔣介石と毛沢東に触れずに、中国の現代史を論じることは不可能です。ところが、こと蔣介石の評価や歴史認識については、きわめて作為的な歪曲がなされてきました。

私は常々言ってきましたが、蔣介石は中国現代史上きわめて重要な人物であり、功罪双方を持つ複雑な人物です。ですから毛沢東ですら、彼に対する評価が時期によって180度異なります。日中戦争初期の1938年、毛沢東は延安（イエンアン）で開かれた中国共産党中央第6次6中全会で、国民党史上最も偉大な人物がふたりおり、ひとりは孫文、もうひとりは蔣介石だと述べました。

ところが1945年の日中戦争終了後、毛はかつての評価を覆し、蔣介石を「人民の敵」と断じたのです。現代中国人の蔣介石に対する評価も、毛沢東と同じく相反する様相を呈しています。

蔣介石は中国現代史において、多くの歴史的大事件に遭遇した人物です。青年期には孫文に追随して辛亥革命、その後、孫文を追放し臨時大総統、皇帝となった袁世凱（えんせいがい）の討伐、そして広東で政府を興した孫文が、中華民国北京政府の打倒を目指して始めた「護法運動」に身を投じます。さらに孫文の死後は「北伐（ほくばつ）」を統率し、共産党討伐、抗日戦争、国共内戦に至るまで、長きにわたり中国の最高指導者として君臨してきました。
彼は中国共産党と合作、分裂を繰り返し、1949年に中国共産党に敗れて台湾へ逃亡しますが、その後も生涯「反共復国」、ひとつの中国を堅持してきました。87歳まで生きましたから、長寿と言えるでしょう。
前述のように、そうした蔣介石に対する評価は、かたや英雄、かたや歴史的罪人というように両極化しています。しかしながら、こうした両極端な賛否は、いずれも蔣介石の実像とかい離しているのではと考え、私は彼を研究をすることにしたのです。

楊　蔣介石の真実を知る意義は何なのでしょうか？

金　蔣介石と彼が率いた国民党の真実を探ることは、中国近現代史の間違い、歪曲を正すのに大変重要な意義があると思います。そしてさらに、国民党による抗日の真実を明らかにすることで、台湾との平和的共存にも役立つのではないでしょうか。

なぜ毛沢東は日本軍と戦わず、しかも感謝したのか？

金 2005年、当時の胡錦濤(フーチンタオ)国家主席は日中戦争勝利60周年記念講演で、抗日戦争においては国民党による正規戦、つまり「正面戦場」と共産党による後方でのゲリラ戦、すなわち「敵後戦場」がともに勝利を導いたと述べました。このとき初めて中国共産党は、国民党が抗日戦争の主体であったことを認めたんですね。

楊 そうです。それまで抗日戦争というと、共産党が絶対的主力軍というのが〝歴史の常識〟でした。一方の国民党への評価は、「消極抗戦、積極反共」と判で押したような言葉しかなかったのです。

毛沢東は、次のような蔣介石を嘲笑する一文を書いています。

「抗日戦争の時代、蔣介石は四川省の峨眉(がび)山に隠れていて、抗日のための木も植えず、水をまくことすらしていない。そして、抗日戦争が中国の勝利に終わると、山から降りて来て勝利の果実を取って食べようとした」

金 日本軍が降伏したのも、いわゆる連合国の一員である中華民国、つまり国民党の蔣介石政府に対してですからね。共産党は実際、何をしていたのでしょうか？

楊　先ほども少し述べたように、共産党は主に敵の「後方」で戦うという戦法を選択していました。これは、軍隊としての力がないためだと思います。そして、後方で簡単に言えばゲリラ戦を展開していました。要するに、正面切って日本軍と戦ってもかなわないので、背後から近寄ってかく乱したり、小規模なゲリラ戦で対抗しようとしたのですね。

一方、正面で主力として戦ったのは国民党軍でした。1937年に発生した盧溝橋事件をきっかけに日中戦争に突入しますが、そのときから、日本軍と戦ったのは蔣介石率いる国民党軍です。蔣介石は上海で日本軍に攻撃を仕掛けたものの、敗れてしまいます。そのため、当時の拠点だった南京から撤退し、四川の重慶に新たな根城を置き、抗戦し続けたわけですね。

一方、毛沢東は戦火を逃れ延安に行き着くと、戦況を傍観します。その後1936年、日本軍に殺された張作霖の息子、張学良らが蔣介石を拉致した「西安事件」が発生。張学良が主張する共産党討伐の停止、救国戦線の結成などを条件に、蔣介石は解放され、それをきっかけに国共合作が成立します。そこで毛沢東も抗日を唱えましたが、実際、戦闘にはきわめて消極的でした。

それはなぜか。毛沢東にはひとつの長期戦略がありました。それは国民党と日本軍を戦わせて、両者ともに疲弊させることです。そして、その間、延安で軍事力を蓄え、日本軍が中国から去ったとき、弱体化した国民党軍を一挙に潰すというのが毛沢東の考えでした。

金 つまり毛沢東は戦時中から「漁夫の利」を狙っていたんですね。

楊 その通りです。実際、毛沢東は1964年に中国を訪問した日本社会党左派の議員団と会見したとき、代表の佐々木更三さんに次のように述べています。

「あなたがた皇軍が中国を侵略しなかったら、中国人民は団結して、あなたがたに対抗することはできなかったし、中国共産党は政権を奪取することができなかったのですから」

毛沢東は日本人に本当に感謝していましたよね。彼は酒が飲めませんでしたが、日本軍勝利の知らせが入ったときだけは祝杯を挙げて喜んだと言われています。

金 ご存じのように中国の教科書には、毛沢東率いる中国共産党軍は、北に向かい日本軍と戦うという「北上抗日」を行うため、「長征」を始めたと大々的にうたわれています。

楊 ところが「北上抗日」はウソ。実は「長征」というのは単なる逃亡です。中国共産党軍は延安まで逃げる一方、蔣介石に日本軍と戦わせました。そのうえで毛沢東は、学生たちに対し「蔣介石は抗日に消極的な売国奴だ」「われわれ、共産党こそが人民のために抗日活動をしているのだ」だと扇動します。さらに日本製品の不買運動などを仕掛けました。すると蔣介石は、「売国奴」のレッテルを貼られるのを恐れ、日本軍と戦うことにしたのです。蔣介石は日本の留学を通じて軍事戦略を学んだ軍人ですから、プロの兵士しか使いません。

ところが毛沢東は農家の出ですから、彼の軍の兵隊は農民ばかりです。そこで毛は農民を率いて、土地改革を断行し農地を地主から奪って農民にあげました。こうして農民の信頼感を得ながら、次々と彼らを動員したのです。

日記が物語る国際政治の真実

金　楊さんは、そんな蔣介石の日記をアメリカで全部手書きで写したんですよね。内容や信ぴょう性はどうなのでしょうか？

楊　蔣介石は、1915年から1972年までという57年ものあいだ、ずっと日記を書き続けました。ただし日記は、あくまでも個人のメモレベルにすぎません。その理由は、その日その日の仕事を記録し、その経験を総括することに意義を感じていたからです。つまり、彼の日記は純然たるプライベートなメモであって、誰かに見せるためのものではないので、ウソをつく必要がありません。

では、そんな「蔣日記」の歴史的価値はどこにあるのか。実は、中国共産党の毛沢東や劉少奇、周恩来、朱徳といった指導者たちは日記を書きませんでした。しかも世界政治史においても、57年間も最高指導者が日記を書き続けたという事例はおそらくないでしょう。

そして彼の日記を読むと、3つのことがわかります。ひとつめは蔣介石の内面。ふたつめは、当時の政治的内幕。そして3つめは、国際政治の隠された真実です。

つまり蔣日記の歴史的価値は大変貴重だといえます。

では、蔣介石は一体どんな人物だったのでしょうか。私は次の3つの観点から評価したいと思います。

第一に、蔣介石は民族主義者です。

彼は一生を通じて民族の振興を追求し、できる限り国家の主権を守ろうとした政治家でした。中国本土では彼のことを「アメリカ帝国主義の手先」と批判しますが、実際、日記には「アメリカは正義のない国」と書いてあったのです。台湾がもし中国本土に反攻するなら原子爆弾を貸すと、アメリカは3回も言ってきましたが、いずれも強く拒絶しています。

尖閣諸島をめぐる領土問題においても、蔣は「寸土も譲らない」と主張していました。

第二に、蔣介石は改革者です。

彼が共産党に反抗したのは、共産党が私有制度の抑制を主張したから。蔣介石は私有制を認めていました。また、中国共産党は階級闘争をしましたが、国民党はむしろ階級の統合を目指します。共産党は無産階級の利益を代表するが、国民党は全国民の利益を代表する。

これが中国共産党と国民党の大きな違いだと、蔣介石本人も述べています。

第三に、蔣介石は中国の伝統文化、キリスト教の教義、そして孫文思想の崇拝者です。彼は伝統文化を守るべきだと主張し、生涯崇拝した人物は、陽明学の創始者として知られる王陽明（おうようめい）、孫文などでした。実際たとえば1966年、大陸で古くからの仏教寺院など「旧文化」を破壊する文化大革命が始まった頃、蔣介石は台湾で「中国文化ルネサンス運動」を展開していたのです。

また彼は、キリスト教の「博愛救世」を信じていました。キリスト教の中心となる教義は「愛人」だが、中国共産党の階級闘争は「恨人」だ。だから、自分は「恨人」ではなく「愛人」を選択したと言っていたのです。

日本時代に鍛え上げた軍人としての質実剛健さ

金　では、毛沢東が率いる中国共産党と蔣介石の国民党の違いは、どこにあるとお考えでしょうか？

楊　中国共産党と国民党の決定的違いは広大な農村、農民の力を掌握したか否かにあります。とりわけ日中戦争期、中国共産党は農村に浸透し、民族主義を訴えながら広大な抗日ゲリラ戦の根拠地を確保しました。国民党が掌握していない農村という空白地帯を、中国共産党が抑えていったのです。そして戦後の国共内戦で、中国共産党はゲリラ戦の根拠地を点から線に、さらに線から面へとつなぎ、農村から都市部にいる国民党軍を包囲する戦略で勝利を手に入れました。

金 ということは、蔣介石の敗因は農村戦略にあったわけですね。

楊 そうですね。農村を効果的に掌握できなかったのが大きな原因です。それとともに、経済政策における失政、一党独裁や個人独裁、そして国民党内部の腐敗なども、敗因として挙げることができます。

実は蔣介石自身は清廉潔白で、非常に質素な生活を好みました。しかし、反腐敗を徹底していなかったので、人民の国民党離れを招いてしまったのです。

金 蔣介石は青年時代、日本の軍人養成学校に留学し、軍事戦略を学びつつ、日本文化のなかにある清廉さ、武士道精神に傾倒しました。寒い冬でも冷水で洗顔し、冷たいおむすびを食べるという質素な生活を送ることで、質実剛健な軍人としての一面を鍛え上げたのです。ただ、蔣介石は宋家の3姉妹のうちのひとり、宋美齢(そうびれい)夫人とあまりソリが合わなかったのも、そうした自身の生活スタイルに原因があったと言われていますが……。

楊 そうですね。蔣介石は自己中心的で独裁者ではありましたが、反面、常に自省することも怠りませんでした。彼の長所は粘り強く努力できるところ。逆に短所は好色、粗暴で猜疑心が強く、僻(ひが)みっぽいところでした。その一方で蔣介石が公金横領や汚職といった腐敗に手を染めた例は、ひとつも見つかっていません。

日常生活においても、彼はお湯ばかり飲んで、お茶すらあまり好みませんでした。また、自分の子どもたちに対しても、厳しい躾(しつけ)をします。次男の蔣緯国(しょういこく)が日中戦争終了後、1軒の別荘を手に入れました。当時、国民党の幹部は、他人の家や自動車を勝手に接収していたのです。このことを兄の蔣経国(しょうけいこく)が父である蔣介石に伝えました。すると、蔣介石は次男に対しその別荘を返すように命じたのです。実際、日記にも「此子敗壊家風」（この子は家風を汚した）という記述が残っています。

では、蔣介石の功罪とは一体何なのでしょうか？

楊 金

要約すれば3つの「大功」と、3つの「大罪」があります。

まず大功のひとつめは、1920年代の北伐で各地の軍閥を倒し、中国の統一を成し遂げたこと。ふたつめは抗日です。蔣は「空間によって時間を換え、小勝の積み重ねで大勝を収める」という持久戦略を展開しました。彼は、強大な対日本軍戦略として、我慢しながら「負けるが勝ち」の持久戦を考案したのです。

1936年には、すでにこの持久戦を発案しており、沿海部から内陸に後退して四川に基地をつくりました。そして世界の同盟国と連合して、共同で日本軍を打ち破る戦略を立てたのです。

金 中国では「持久戦」は毛沢東のアイデアだと言われてきましたが、実は蔣介石の発案だったんですね。

楊 そうです。そして、3つめの大功は近代台湾の建国です。一方、蔣介石3つの大罪を手短かに言うと、第一は戦前の共産党討伐です。次は3年に及ぶ国共内戦。そして最後の大罪は、台湾統治時代に反体制派を徹底的に弾圧する「白色テロ」を断行したことです。

歴史学は共産党のための〝道具〟ではない

金 なるほど。最後にお聞きしたいのですが、楊さんにとって歴史を学ぶというのは、どういう意味があるのでしょうか?

楊 ご存じの通り、中国では歴史の真相を隠蔽したり、ウソをついたり、歪曲するという行為が、常に行われています。しかし、歴史の生命は真実にあるわけですから、史実を整理し、真実を見つけ出すのが私の仕事です。

事実は客観的存在ですので、ただひとつしかありません。と同時に事実は思考の土台であり、また過去の歴史的な記述の科学性を点検する最大の基準だと考えています。

もちろん、各自の立場、利益、価値観や政治的要因、教養や個人個人の性格が、歴史的な事実に対する認識、解釈、評価に大きな影響を与えるのも事実です。しかしながら、われわれが皆、史実を尊重し、認め合えれば、建設的な対話、討論は必ずできます。

歴史、ことに政治史は国家、民族、階級、集団、派閥と個人間の戦いの連続であるため、歴史学者は文献資料を広く読み漁り、客観的、かつ明確な判断を下さなければなりません。

第一、そもそも史実とは何なのでしょうか。党のために奉仕する〝道具〟なのでしょうか。それとも科学的なものなのでしょうか。

答えは明白です。史実が道具になると、必ず党や民族の要求に合わせて史実を隠したり、ねじ曲げたりすることになるでしょう。

中国本土の歴史学においては、歴史教科書も含めてこのような弊害が至るところで見受けられます。中国人は、日本の歴史観をしばしば糾弾しますが、中国大陸の歴史研究、歴史認識にも大きな欠陥があると言わざるを得ません。

だからこそいま、史実をきちんと整理して、歴史に埋もれた真実を明らかにしなければならないのです。これを着実にやり遂げるのが、私の使命だと思います。

理由 10

中国史の裏側を貫くものは「暴力」という社会原理である

～文化史の権威が見出した「もうひとつの中国社会」～

ワンシュエタイ
王学泰（おう・がくたい）

元中国社会科学院文学研究所研究員。中国の遊民、流民文化研究の第一人者。
1942年、北京生まれ。64年、北京師範学院（現・首都師範大学）文学部卒業。70～80年まで北京の中学校の教壇に立つ。その途中、75年に反革命の罪に問われ78年まで北京の監獄に収監。80年以降、中国社会科学院文学研究所に在籍。同院大学院教授。対談後の2018年1月、北京にて病死。

主な著作――『遊民文化与中国社会』『華夏飲食文化簡史』『中国人的飲食世界』『官人官事』『中国流民』『水滸与江湖』『監獄瑣記』など

王さんは独自に発展させた「遊民文化」論で知られる学者である。この考え方は、中国知識界に大きな衝撃を与えた。

その前に、そもそも遊民とは何なのか。

日本語で言ってしまえば、侠客、博徒、強盗、馬賊といったところだ。つまり、ヤクザ、ゴロツキ、無法者である。ただし毛沢東は、こうした人たちのことを農村における無産階級、「ルンペンプロレタリアート」と定義し、自らの軍隊「赤軍」に迎え入れていた。

ところが、こうした遊民の存在自体、王さんが登場するまでは、中国のアカデミズム、歴史研究においてまったく忘れ去られたか、あるいは看過され続けてきたのだ。そんな遊民たちからなる遊民社会と、表立った世の中の陰に隠れたまさに「裏社会」について、体系的に研究したのが王さんなのである。

私も1999年、王さんの著作を読み、大きな感銘を受けた。それこそ「もうひとつの中国社会」が生き生きと描き出されていたからである。私が北京の王さんの自宅を訪れたのは、2017年6月のことであった。

王さんは学者というよりも、失礼を承知で言えば、北京の裏路地で普通に出会えるオジさんのような雰囲気。本当に気さくな男性だった。

ただし、その人懐っこい見た目とは裏腹に、きわめて太く強い土性骨(どしょうぼね)がその芯を貫いていることも忘れてはならない。王さんは1960年初頭、北京師範学院（現・首都師範大学）文学部の学生だった頃、反動（反体制、反革命）学生に認定され、1975年には「右派」（資本主義者）の罪名で刑務所で3年を過ごした経歴を持っているのだ。

「獄中生活で、私は数多くの庶民と身近で接し、彼らの人生、考え方、行動様式の深いところまで知ることとなりました。それが結果として、私の下層社会、遊民研究につながっているのです」

王さんは、そう語った。

さて、そんな骨太な王さんは、いまの中国についてどのように考えているのだろうか。早速話を聞いてみることにした――。

底辺を流浪する「遊民」とは何なのか？

金　遊民とは、そもそもどんな人たちなのでしょうか？

王　遊民とは、ひと言で言えば下層庶民のことです。そんな下層庶民の社会は、まるで世間からつまはじきにされた、名もなき豪傑たちが力を合わせて国を救う『水滸伝』の世界そのもの。悪漢、流浪の民、バクチ打ちたちのたまり場です。

そんな世界に惹かれた私は、いわば中国の『源氏物語』である18世紀の名作『紅楼夢』の研究よりも、明代に書かれた武侠小説『水滸伝』の研究に打ち込むようになります。こちらのほうが、中国社会の理解にずっと役立つと考えたからです。

実生活においても、政治犯として投獄された獄中で、多くの「遊民」「悪党」と出会いました。面白かったのは、彼らにとって理性や理屈はまったく眼中になく、なんのためらうこともなく暴力行為に走ることです。

金　たしかに「暴力」は、中国史を通貫するひとつの生存原理、社会原理ですね。

王　そうです。そこで私は中国社会の表ばかりを見るのではなく、これら遊民たちの世界、いわば「裏社会」に注目し、専門書を書くようになりました。

北京の自宅で。子どもの頃から武侠小説が大好きだった王学泰（左）の功績は、文学史と文化史を学際的に研究したところにある。

金 なるほど。王さんの重要な業績は、魯迅（ろじん）が書いた中国近代小説の最高傑作とされる『阿Q正伝』の主人公、阿Qの身分に対する新しい解釈にあります。阿Qは農民ではないというのが王さんの主張ですよね？

王 そうです。私は1980年代から、中国社会科学院文学研究所で遊民問題について研究し始めました。

まず私が注目したのは、阿Qという人物です。それまでの研究者たちは、阿Qのことを無知な農民と見なしてきました。しかし、私の考えでは、阿Qは農民ではありません。実は魯迅は中国人の「劣根性（レーゲンシン）」（下劣な性質）を文学的に提示するために、阿Qという人物をつくったのです。

阿Qは、都市と田舎を放浪する流民の典型的モデル。定職も定住先も家庭も宗法（そうほう）（守るべき家族独自の規則）もないただの遊民です。

さらにいえば、姓氏（苗字）も知りません。この阿Qの姿こそ、典型的な遊民のそれではないでしょうか。

金 なるほど。魯迅が文学的なイメージで再現した遊民を、王さんは理論的、学問的に探究したということですね。遊民について、さらに具体的に教えてください。

王 「遊民」とは職業や働く場所を失って、流浪する人々を指します。遊民という概念は、紀元前の時代から書物に登場していました。時代が下って清の時代になると、遊民は悪党、チンピラ、ヤクザと同じ扱いとなります。1949年の中華人民共和国建国以降も、政府は遊民を「改造」するキャンペーンを展開したこともありました。

金　相当、悠久の歴史を持っているんですね。遊民の定義、あるいはその特徴は、どういったものなのでしょうか？

王　だいたい4つの特徴があると思います。

①根っからの反社会性。まず表の社会には属しません。無頼漢と言えるでしょう。ところが、ひとたび天下が乱れると、それをチャンスに権力、地位、利益を手に入れようと、野心的に動きます。

②積極的な攻撃性。すぐに相手、敵に対し実力行使しようとします。自分の利益を得るためなら、暴力、武力を使うことも厭（いと）いません。まさに『水滸伝』の世界です。

③一致団結性。利害が一致すれば、仲間と一致団結します。互いに義兄弟の関係を結び、事が起きたら一斉に行動に移るわけです。『三国志』に登場する、劉備、関羽、張飛による有名な「桃園の誓い」が典型です。より大きな組織としては「幇会（バンフィ）」、つまり秘密結社、中国マフィアとなります。もちろん、「暴力」こそが第一です。

④反知性、反文明性。知識、教養、文明といった概念とはほど遠く、物理的な腕力、暴力だけが、自分たちが生きる世界の価値観、行動様式となります。

『水滸伝』がいまだに人気を誇る本当の理由

金 つまり、中国の歴史をずっと貫いてきたもののひとつが「暴力原理」というわけですね。

王 そうです。実際、中国の歴史上の農民蜂起、たとえば歴史教科書にも登場する中国史上初の農民反乱を起こした陳勝と呉広、明朝を打ち立てた朱元璋、あるいはその明を滅ぼした李自成、そして太平天国の乱の首謀者である洪秀全。彼らは例外なく農民出身者で、遊民を組織して立ち上がったリーダーです。

金 20世紀初頭の中華民国時代には、匪賊が現れます。たとえば、満州の統治者で日本軍に殺害された張作霖もそうですね。当時の新聞は「我が国の国体は失われ、匪賊の世界に変貌した」と嘆いていたくらいでした。

王 そう。１９１１年から１９４９年まで、匪賊は中国全土で暴れ回ります。１９３０年の匪賊の数は２０００万人にも上っていたのです。

金 実際、幇会、秘密結社は中華民国時代に、軍、警察、金融、マスコミ、サービス業界から最下層の肉体労働者の世界に至るまで、中国社会のあらゆるところに進出しました。

王　そうですね。ところで、なぜ中国人が『水滸伝』をはじめとする武侠小説をあれほど好きなのか、わかりますか？

金　中国には、王さんがおっしゃる通り遊民、匪賊を生み出す風土があるからでしょう。また武侠小説、映画が醸し出す「勧善懲悪」という男のロマン的な世界も中国人好みですよね。でも、やはり一番は暴力に対する一種の〝郷愁〟でしょうか？

王　その通りです。実際、よく言われるように中国人には自主独立の精神が欠けています。ではなぜ、やたらと団結せよ、ひとつの思想だけを信奉せよと叫ぶのでしょうか。実は団結を訴えるのは、暴力的な内部闘争、内輪もめをするためなのです。

たとえば、文化大革命のとき、毛沢東は私利私欲によってそれまで仲間であった劉少奇、鄧小平を打倒する際に、国民に団結を呼び掛けましたよね。さらに、そうした際に往往にして大義名分をスローガンにするのも特徴的な行動です。たとえば文革の際も「国のため」「党や人民の利益のため」といったように。こうして、言葉によって自分自身の闘争、暴力行為を正当化するわけです。

金　台湾の人類学者で2017年に亡くなった李亦園（リーイーユアン）さんは、「大伝統と小伝統」という理論を打ち出しました。大伝統は孔子（こうし）を代表とするエリート、いわゆる士大夫（したいふ）、知識人の文化です。一方、小伝統とは、中華圏では神さまとして信仰されている関羽を代表とする普通の人々の文化だと。王さんは、これについてどう思いますか？

王　中国では、庶民による大衆文化と士大夫によるエリート文化は、それほど大きな違いはないのではないでしょうか。もちろん、両者にはかたや低俗、かたや文明的という差はあります。ただ、『水滸伝』に登場する豪傑たちの本拠地、梁山泊（りょうざんぱく）で彼らが掲げたスローガン「替天行道（たいてんこうどう）」は、きわめて示唆的ですね。意味は「天に替わって道＝正しいことを行う」ということ。これは、もちろん梁山泊が掲げたわけですから、大衆から生まれた言葉です。ところが、実は大衆の思想でもあると同時に、エリート層の思想でもあるんですね。つまり、大衆にとっては支配者へ抵抗する際の旗印となる一方、エリートにとっては帝王を補佐して王道を実行する理論的根拠にもなるのです。

「義」と「利」を同時に重んじる独特の価値判断

金　ということとは、大衆、庶民とエリート、士大夫は対立関係というよりも、相互補完の共生関係といえるわけですね。一方で王さんは、中国遊民文化の一番の中核的性格は「義」だと提唱しています。中国人は「義」の民族だということでしょうか？

王　おっしゃる通りです。「義」という言葉も多様な解釈が可能ですが、儒教における五常、つまり「仁・義・礼・智・信」のひとつで、人として当然行うべきことという意味が一般的でしょう。『論語』に出てくる「義を見てせざるは勇無きなり」という言葉は有名ですよね。人として当然行うべきことと知りながら、それを実行しないのは勇気がないという意味です。

中国人は、いまも人を評価する際によく「講義気」と言います。これは、義侠心を重んじるということ。つまり、義が重要な道徳的価値判断の基準になっているのです。

ところが、儒教では実は「義」と「利」は密接しています。遊民にとっての義と利は同格なのです。義侠心は遊民たちにとって、人間関係における接着剤のようなもの。これの有無が、信頼の有無にもなるわけです。

ただし、これは単なるボランティア精神や、他人への無償奉仕ということではありません。そこには、ある種の利益計算も入り込んでくるわけです。つまり、義侠心を発揮するというのは「投機」のようなものと言えるでしょう。

たとえば、『水滸伝』の主人公である宋江は、梁山泊に集う108人のトップです。そんな彼の特徴は、常に金銭で友人と付き合うということ。ですから、17世紀の文芸評論家、金聖嘆は宋江を「以銀子交友」（お金で交友する）と非難し、登場人物中「下の下」だとしました（笑）。

金　なるほど（笑）。私は拙著『日本人・中国人・韓国人』（白帝社）で日中韓の国民性を比較し、その特質を中国人は「義」、日本人は「和」、韓国人は「情」としました。中国人の「義」は「利」が自身のものとなるときに働きます。つまり、利益を優先する傾向が日本人よりはるかに強いんですね。

王　興味深い指摘です。ですから、中国人にとって「有情友義（ヨウチンヨウイー）」（愛情があり義侠心がある友）こそが、最も好きな人間像となります。もちろん、利益が一番大きな比重を占めているわけですが……。

また、中国人が日頃よく口にすることわざに、「出門靠朋友（チューメンカオパンヨウ）」（家の外では親友に頼る）、「多一個朋友多一条路（ドゥオイーグパンヨウドゥオイーティアオルー）」（友人が多ければ、その分、道が拓ける）などがあります。これらの言葉は、実に簡潔に中国人の「義」「利」意識が表現されているわけです。

民主化社会をつくるためのたったひとつの道

金　文化人類学では人間関係を同心円として表現し、自分を中心に自分からもっとも近い円を「人情圏」、その外を「義理圏」、一番外を「公共圏」と呼びます。韓国人は人情圏、中国人は義理圏、日本人は公共圏が、民族的な特徴と言えるでしょう。韓国人は民主化によって公共圏に成熟しつつありますが、中国人はいまだに公共圏には届きません。

王　面白い指摘ですね。たしかに中国人は、人情圏、義理圏から脱していません。公共の場所でも秩序がなく、人々は自己中心的で傍若無人に振る舞うばかりです。知人同士だと互いに礼儀正しく、譲り合ったり、配慮したりしがちなのですが、しかしながら、公共の空間では他人に対する意識が決定的に欠けています。ですから、このような人たちが旅行などで海外に行くと、まず現地人に大迷惑をかけるわけです。

もうひとつ特記すべきことは、中国人は歴史的に大家族内の規則ともいえる「宗法」が絶対の社会に生きることが当たり前であったため、個として独立するという精神がなかなか育たないということ。宋の時代より近代まで、一般的に大家族の族長は地位の高い人が選ばれてきました。

もっとも正直言って、現代中国も巨大な宗法社会です。たとえば文化大革命当時、子どもたちに「われわれは毛沢東主席の良い子」と教育したのも、「党は親よりも親しい」と叫ばせたのも、すべて宗法社会そのもの、あるいは、そのものまね以上でも以下でもありませんでしたよね（笑）。

このような慣習に骨の髄まで毒された中国人は、自分の頭で考えるより、上からの指示はあるのか、勝手に行動したらひょっとすると罪になるんじゃないかと、萎縮してしまう。ですから、中国人は本当の意味での独立した公民（国民）になりにくいし、そうした人たちからなる社会が、いつまでたっても形成できないのです。

金　改革開放から40年以上になるにもかかわらず、日本や韓国といった同じ漢字文化圏国家と比べてみても、国民性向上の大幅な遅れは一目瞭然です。そんな中国社会の進路について、王さんはどうお考えでしょうか？

王　現在、中国の庶民たちは経済問題、社会的困窮に直面しています。また、為政者たちには、そうした現実をどうするかという政治的難題が立ちはだかっています。

中国は、とりあえず自国の歴史と外国の事象から効果的だと思われる手法のみを選び出し、自国社会に移植しようと努めてはいますが、それはそれほど容易なことではありません。しかも不幸にも、結果としてマイナスとなる欠点ばかり接ぎ木していますから（笑）。

現在、国民は右も左も金儲けに邁進しています。しかし警戒すべきは、われわれがあまりにも目先の利益にのみこだわり、気宇壮大な目標や複眼的な思考が欠けていることです。歴史を振り返ってもわかるように、だから常に悲劇に遭遇するのですが……。

金　王さんがおっしゃっていた公民意識、公民社会は実現するのでしょうか？

王　そこですよね。まず、先ほども述べた通り、公民社会はいまだに中国には存在しません。

公民社会のあり方について議論する人もいますが、大部分はＮＧＯ、ＮＰＯ、シンクタンクなど、ごく一部の人に限られています。

つまり、一般の庶民は何ら公民意識を備えていないのです。当たり前の話ですが、公民社会は公民意識のある人たちで構成されます。庶民が公民としての自覚、つまり自分の権利と義務、そしてなにより「公共」という空間、概念を意識しなければ、公民社会など実現するはずがありません。

金 同感です。１００余年前、中国の改革に失敗したジャーナリスト、エリート知識人であった梁啓超(りょうけいちょう)が日本に亡命した際、日本人の公共の精神に深く感心して、中国人は公共の精神、愛国心に欠けていると嘆息しました。

王 それから１００年以上たった今日、なお同じことを言わざるを得ないこと自体が悲しいことですが、中国の現実がそうであるから、どうしようもありません。

ですから、要はどう公共の精神を養成し、どう社会の新秩序を立てなければならないのか。そのためには、中国人は法律を守る公民となり、まずは法治社会の構築に寄与すべきです。そうなると、最終的に民主化社会への道へとつながるのではないでしょうか。

現在の中国の厳しい一党独裁体制下でも、これは有効的、かつ実現可能なやり方だと思います。公民社会、法治社会、民主社会こそが、中国にとって最善の進路なのです。

理由　11

社会を縛る「暗黙のルール」こそ14億中国人の苦しみの元凶だ

～ジャーナリストが探り当てた「潜規則」の恐ろしさ～

ウースー
呉思（ご・し）

ジャーナリスト、作家。アカデミズムではなくジャーナリズムの世界に身を置きながら、中国の歴史的新事実を発掘したことで知られる。
1957年、北京生まれ。82年、中国人民大学文学部卒業後、『農民日報』記者、編集室副主任などを務める。96年から雑誌『炎黄春秋』の主筆、副社長などを経て2009年、法人代表に就任。14年に『炎黄春秋』を退職し、16年から天則経済研究所理事長を務めた。

主な著作――『潜規則』『血酬定律』『陳永貴：毛沢東的農民』など。

呉思さんは、ジャーナリストとして「潜規則（チエングイズォ）」（社会の暗黙のルール）、「血酬定律（シュエチョウディンリー）」（血を流して得た報酬）という、ふたつの概念を生み出したことで一躍その名が中国全土で知られるようになった。本書でも登場した茅于軾（マオユーシー）さん（「理由6」参照）が創設した「天則経済研究所」の理事を歴任した人物でもある。

「潜規則」、「血酬定律」ともに呉思さんの造語だ。両方とも日本では馴染みが薄いが、とりわけ潜規則は、中国ではアカデミズムのみならず一般の人々も広く使っている。

たとえば、かつて香港の女優がドラマのプロデューサーから「性的接待」を求められ、断ったところ主役から降ろされたことを暴露した。もちろん、こうした〝枕営業〟は明文化されていない。だから、人々は「やはり芸能界には、そういう潜規則があったのか」と言うわけだ。あるいはビジネスの世界でも、「法」よりも「コネ」が優先されるなどということがよくある。これも潜規則なのである。

つまり、それだけ中国の社会には、正規のルール、取り決めのみならず、暗黙のルールが、そこかしこにはびこっているということだ。

歴史学を専攻していないジャーナリスト出身のいわば在野の歴史研究者だけに、これまでの学問の手法に縛られることなく自由に現実、歴史を考察した結果、呉さんはこのような画期的な発見を成し遂げることができた。

一方で呉さんは、中国の現代社会と歴史のタブーに挑み果敢に真実を訴え続けた雑誌『炎黄春秋』の主筆を担当していたこともある（この雑誌は2016年に廃刊に追い込まれてしまったが……）。つまり、ジャーナリストとしても骨太の一流記者なのだ。

呉さんは中国人民大学文学部を卒業後、『農民日報』の記者となった。彼が一番あこがれている人物は、いち早く官僚の腐敗を暴き、天安門事件の黒幕とされアメリカに亡命を余儀なくされた、著名な反体制ジャーナリストで作家の劉賓雁さんだ。

呉思さんは、劉氏のように勇気をもって真相を暴く記者としての使命感に燃え、社会の現実を照らし出そうと走り回った。そして、そうした記者生活のさなか、「潜規則」の存在に出会い、現実へとつながる歴史的な問題の源流を探り始めたのだ。

2016年5月、北京の中心部にあるホテルの喫茶店で呉さんと初めてお会いした。私と向かい合う呉さんは、物静かな趣がある紳士のような風貌だ。そして落ち着いた口調で理路整然と語る姿は、まさに頭脳明晰な知識人そのものだった。

では早速、呉さんに「潜規則」、「血酬定律」とは何なのか、聞いてみることにしよう――。

600年以上前の明時代から続く「暗黙のルール」

金 呉さんがつくり出した「潜規則」という概念、言葉は、いまや全中国人が知っていると言っても過言ではありません。歴史学者たちも見つけられなかった中国史、社会における暗黙のルールを発見したのは、呉さんの非常に大きな業績だと評価されています。では、初めに、その具体的な意味を説明していただけますか?

呉 いきなり突拍子もないことを聞きます(笑)。金さんは農村に住んだことがありますか?

金 住むどころか、農村の生まれです(笑)。

呉 ならば話はわかりやすいかもしれません。私は文化大革命末期の1976年、高校を卒業すると北京郊外の昌平県へ「下放(かほう)」されました。そこで毎日、肉体労働に苦しめられると同時に、知らない世界を垣間見ることができたのです。そのとき、見たもの、聞いたものを自分自身の脳でとらえ直すクセがつきました。
その結果わかったのです。この世には公式、正式なルールの他に、知られざる決まりがあるのだと。

金 なるほど。その後、呉さんは記者となり、農村を取材中に「潜規則」を発見するんでした

呉思（右）は政権に対する批判も果敢に行う。2020年2月7日に新型コロナウイルスの感染拡大を警告した医師の李文亮が亡くなったのを受け、同12日「知る権利を奪われたことが数万人の感染と1000人以上の死につながった」と、改革派知識人と連名で政府の情報統制などを批判する文をインターネットで発表している。

よね。

呉 ええ。私の著書『潜規則』の序文でも書いたように、農村で化学肥料を分配するのを見たとき、そこに独自のルールがあるのがわかりました。文面に明記したルールもあるのですが、実際に分配するときに、もうひとつの知られざるルールにのっとって一人ひとりに分け与えられたのです。

つまり、明文化したルールを表に出しながらも、その裏では違うルールが存在する。たとえば、誰が配分量をメモに書いてくれたのか。あるいは、誰が書いたメモが一番効果があり、また、その結果、どれほどの肥料をもらえるのか。こうした表に出ないルールが「潜規則」なのです。

金 まさに暗黙のルールですね。

呉 そうです。しかも、化学肥料の分配においては、正式ルールより暗黙のルールのほうがより強い強制力、実行力を持っていたのです。

もっとも、その当時は「潜規則」という言葉は存在せず、「内部章程（ネイブジャンチャン）」（内部規則）と呼んでいました。その後、1997年のある日、関心があった明王朝の歴史についての本を読んだところ、当時の社会にも似たような暗黙のルールがあるのを知ったのです。そこで悩んだ末、「潜規則」という言葉を考案しました。

金　なぜ新聞畑の呉さんが、歴史に傾倒していったのでしょうか？

呉　現在の根っこは歴史にあると考えたからです。明の時代に関心を抱いたのは、清朝や元とは違い、純粋に漢民族の素顔を見ることができると考えました。

金　元はモンゴル、清は満州族という異民族が建てた王朝でしたからね。

呉　そうです。元の衰退後、１３６８年に朱元璋（しゅげんしょう）が建国した明は、唐の政治行政制度を導入していました。そこで「大明律（だいみんりつ）」という法律を制定しましたが、結局、朱元璋は個人崇拝に走ったため、法律の実効性が失われてしまったのです。

朱が実行した統治スタイルは、実は毛沢東時代の政治キャンペーンと似ています。つまり、毛沢東が朱元璋のやり方を踏襲したのは明らかなのです。

明史を調べてみると、清廉な官吏が追放の憂き目にあったり、あるいは腐敗に手を染めていったりする様子は、まさに現代中国そのものだということがわかります。さらに明の時代の調査を進めていくうちに、私が見たいまの「潜規則」に相通じるルール、概念があったことも発見できたわけです。

これで、著書『潜規則』も自信を持って書くことができました。

曖昧な「潜規則」が生み出した傍若無人な役人天国

金 「潜規則」は、具体的にどのように中国社会に作用するのでしょうか？

呉 まず、われわれがよく知っている道徳ルールを実例として挙げてみましょう。たとえば儒教で言うところの「君臣の義」とは、君主は臣下や民を慈（いつく）しまなければならない。一方、臣下は君主に対し忠誠心をもって仕えなければならないというもの。つまり、上が下に強圧的に命令するのではなく、お互いに思いやって接することが大事だという道徳です。仮に税率10％をいきなり50％に引き上げたら、これはやりすぎ、暴政となります。こうなると社会の平穏を維持するのは難しいでしょう。もっとも、こうした暗黙のルールを守らない暴君もたまにいますが……。たとえば、始皇帝が建国した秦はわずか15年ほどで、滅んでしまいました。これは、道徳の境界線を皇帝が破ってしまったからだと言えます。つまり、ある程度までは搾取したり、税金を取り立てたりすることは可能ですが、行きすぎると暴政、圧政になる。そうなると、〝正義〟という境界線を突き抜けたことになりますから、社会は不安定化するわけです。もちろん、搾取される農民には力がありませんから、表立った抵抗はできないかもしれません。しかしながら、そうしたやりすぎ、行きすぎが、国家の崩壊への第一歩となる可能性があるのです。

ただし、潜規則は明文化されていませんから、官吏たちは知ってか知らずか、この微妙な境界線を越えてしまうこともあります。こうした事態を私は「合法的傷害権」と名づけました。官吏は皆、こうした曖昧な権限を持っているわけです。たとえば、刑罰の重さを少し軽減したり、あるいはちょっと増やしたりとか……。

金 すべてのものごとには「度」があるはずです。また、中国には「善悪応報」という思想があります。ところが、現実の世界では必ず悪が報いを受けるというわけではありません。だから、潜規則の一線を超えてしまう事例が後を絶たないのです。

現代中国の官僚、政治家の腐敗、不正も、すべてこの「潜規則」と関連があるのでしょうね。呉さんは記者時代、こうした暗黙のルールから生じた問題、トラブルに出会ったことはありますか？

呉 もちろんあります。農村の読者たちから村の不正行為を摘発する告発文が届くたびに、私は一件一件助けてあげられず、非常にもどかしく感じていました。というのも、いくら村民たちが告発をしても、役人たちは「お前らがいくら密告しようが、私にはまったく関係がない！」とのんびりかまえるだけ。このように、たとえ農民たちが悪徳官僚を告発したところで、ほとんど効果がないのが中国の現実なのです。

もちろん、私を含め記者や編集者たちは、目の前にある暗黙のルールの本質を理解しています。たとえ、そうした役人の不正行為を告発したとしても、潜規則という曖昧なルールのせいで、まず罰せられません。そもそも中国の憲法に記されている項目と、われわれがどう報道すべきかという暗黙のルールも、完全に別ものですからね。このように記者も編集者も、毎日のように報道のあり方に関して葛藤しています。こうしたことからもわかるように、中国人は日々「潜規則」に囲まれながら暮らしているわけです。

「中国の歴史自体が相克、戦争、暴力で成り立っている」

金　呉さんは「潜規則」とともに「血酬定律」という概念を提起して、大きな反響を引き起こしました。これはどういったものなのでしょうか？

呉　潜規則と同様、「血酬定律」という概念もまた、中国史の事例にあたり、帰納的に分析して導き出した法則です。こちらも表面的、公的なものではなく、見えないけれども現実社会に大きな影響を与えているルールのひとつと言えるでしょう。

私は著書『血酬定律』で、中国社会における普遍的な問題に着目しました。それは要するに、なぜある者は暴力によって収入を得、また人々はなぜこうした人々に協力するのかというものです。労働で得た報酬は「給料」です。土地が生み出す収益は「地代」だし、資本から生まれる富は「利息」となります。では、命がけの体を張った暴力行為の結果、得られた利潤を何と呼ぶべきか。私は、これを「血酬」と定義したわけです。

金 この概念でヤクザや強盗、チンピラなどが金銭財物を掠奪、搾取する本質が究明できるというわけですね。

呉 ええ。しかも、それだけではありません。血酬定律の観点から歴史を概観すれば、その過程自体が流血、つまり命をかけた資源獲得の連続だということがわかります。そもそも、社会を形成、統治するという行為自体、暴力で得た資源を合法化するという過程そのものではないでしょうか。

金 同感です。まさに呉さんが考案した潜規則、つまり暗黙のルールと、血酬定律、すなわち血を流して得た報酬こそが、中国社会の裏を貫く暴力構造を支えているわけですね。

呉 そうです。私は以前「灰色社会」という用語で説明したことがあります。中国社会のさまざまな階層において、明らかに「黒」つまり「アウト」だと思える事象、状況が日々、発生しています。ところが、黒のように見える現象も、実は黒ではなく灰色、グレーゾーンであることも多々あるわけです。

呉　金

具体的には、どういうことでしょうか？

たとえば、政府は一方的に民を統制管理するだけでなく、彼らに公共サービスを提供するという側面もあります。一方、民が政府に税金を納めるのは、単なる〝服従〟ではなく、公共サービスを得るための一種の〝交易行為〟と言えるのではないでしょうか。こうした関係は「黒」ではありません。なぜならそれは、ある程度公平な富の交換だからです。

では、この関係がいかにしてグレー、そしてブラックへと変質するのでしょうか。たとえば、民主国家でクーデターが起き、独裁政権が誕生したとしましょう。当然、独裁政権ですから暴力的手段で政権を握ります。たとえばナチスのように、当初は熱狂とともに民も支持しますから、多少の不便、不利益も我慢するでしょう。ここが、グレーゾーンです。

ところが、この支配手法を維持し続けているうちに、次第に民のあいだに不満がたまるのは言うまでもありません。自由が奪われるわけですから。

ところが、たとえ指導者が無能であれ、極悪非道であれ、独裁政治体制ですから、人々に政権選択の権利、機会はありません。こうなってくると、グレーゾーンではなく、もはやブラックということになるわけです。

もちろん、こうして政府と人々の関係が「グレー」「ブラック」へと変わっていっても、民に力はありませんから、基本的に現状を受容するしかありませんが……。

金　文化大革命時の中国政府が、まさにそうでしたね。そう考えると、中国史は暴力の歴史でもあったわけです。

呉　その通りです。中華民国時代のジャーナリスト梁啓超（りょうけいちょう）もすでに指摘しています。中国史をひもとくと、その歴史自体が相克、戦争、暴力で成り立っていると。

事実、中華人民共和国が建国された1949年から1976年までの現代史を見てみましょう。建国間もない頃、地主から強制的に農地を奪い貧農層に分け与えた「土地改革」、自由を求める機運が高まった1950年代に、声を上げた反体制右派を次々とパージした「反右派闘争」、そして悪夢の「文化大革命」……。

これらすべてで暴力を手段として用い、強制的に制度を変更しました。しかも、その過程で、政府に反抗する力などほとんどない一般大衆を、暴力的に弾圧していったわけです。

私はこのような暴力で制度を決定、変革することを「元規則（ユアングィズォ）」と命名しました。元規則とは、つまり「規則を決定する規則」ということ。暴力装置を持つ強者のみが決められるルールです。

金　こうした暴力がはびこるのは、なぜなのでしょうか？

呉　中国で元規則が通用する理由は、人民がおとなしく上の言うことをよく聞くからです。潜規則、血酬定律、そして元規則がどんどんと広がり、そして維持し続けられてきた根底には、歴史的、社会的な大衆の性質という土壌があったからでしょう。

改革開放は「社会改革」ではなく「利益調整」にすぎない

金　毛沢東時代がとっくの昔に終わったいまも、中国は潜規則、血酬定律、元規則から抜け出せてはいないのでしょうか。

呉　もちろん逃れられていません。文革終結の象徴は「四人組」（文革を推進した毛沢東夫人の江青、張春橋、姚文元、王洪文のこと）の打倒でした。ところが、その後の鄧小平をはじめとする改革開放の指導者たちも、やはり毛沢東のように軍事力を行使できる最高権力者のままです。
どこまで経済を開放し、どこまで国の改革を行うのか。この境界線をどう設定するのか。ここがグレーなまま、今日まで来てしまいました。そうした境界線の引き方によって、たとえ指導層に利益があったとしても、それが必ずしも人々の利益にもなるとは限りません。

金　だとすれば、中国はいまだに元規則、潜規則のあいだを行ったり来たりしているということですね。

呉　もちろん。改革開放40年のプロセスについても、表立っては変わっているように見えますが、実際、各種制度やルールの変化、改革はいずれも、単なる〝調整〟にすぎません。つまり、水面下では潜規則、元規則などの枠から一歩も離れてはいないのです。

私たちは常に、このような中国共産党による元規則の支配下にある。この意味では、まったく進歩していないと言っても過言ではありません。

金　そうだとしても、思考やイデオロギーのレベルでは、さまざまな変容があったのではないでしょうか？

呉　それは言えます。実際、40年前と現在で違うこと、それはイデオロギーが退色していることなのです。

金　イデオロギーの退色とは何でしょうか。もう少し詳しく教えてください。

呉　毛沢東時代、中国共産党指導部は経済の生産性よりも理想、つまり共産主義社会を一刻も早く打ち立てることに全力を注ぎました。さらに毛は、国際共産主義運動のトップになろうと目論んでいたのです。彼はこう言っています。

「われわれは大衆路線を歩むべきであるが、かといってすべて大衆の言いなりになってはいけない。農民が自由を要求すれば、われわれは社会主義へと進む」

金　農民に自由を与えないのはなぜでしょうか。

呉　それは共産主義と対立するからです。ところが毛沢東の死後、中国共産党が叫んでいたイデオロギーも色あせていきます。核心的目標、最大の価値が共産主義イデオロギーから経済発展、近代化へと転向したのです。ですから、これに合わせて経済的自由も拡大し、農民、労働者、商人、資本家、学者、知識人も「自由」というものを、ある程度実感できるようになりました。

ただし、言うまでもありませんが、こうした自由も実際には元規則などのルールの範囲内に限られたもの。つまり、こうした〝調整〟は一般大衆の利益にもある程度つながりますが、あくまで支配者集団の利益を優先した、彼らにとっての〝相互扶助〟の一環にすぎないのです。

金　習近平(シージンピン)政権が言論をますます厳しく統制しているのも、そうしたことと関係しているのでしょうか?

呉　大衆や知識人に言論の自由を与えすぎてしまうと、一党独裁の維持に不利ですから、習体制は厳しく規制するわけです。

金　やはり、潜規則、元規則などがずっと生きているということですね。

呉　その通りです。中国共産党の「元規則」は諸規則を設定する大原則ですから、これは変わりようがありません。習近平は2018年の改憲を機に、毛沢東的な統制に大きく踏み出しました。彼は元規則を熟知しており、実際、これをベースに厳しい言論統制、権力集中に走っているのです。

「官家主義」と「潜規則」を打ち破った先にあるもの

金 呉さんは、最近「官家主義（グェンジアジューイー）」という新しい概念を提起しました。どんなものなのでしょうか。

呉 潜規則、元規則、血酬定律の観点から中国史を振り返ってみると、「正史」には登場しない主体が見えてきます。私はそれを「官家主義」という新概念で定義づけました。教科書などに載っている正史に基づけば、秦の時代から清の末期まで、中国はずっと「封建主義」だったとされます。ところが、これは大間違いです。

金 なぜでしょうか。

呉 なぜなら、すでに秦の時代に中国全土を郡と県という地方行政区分に分け、中央から派遣された官吏がそれぞれ統治する「郡県制」が成立していたからです。このとき「封建制」は放棄されました。

では、「官家」とは何なのでしょうか。この言葉には古代漢語で3つの意味があります。第一は皇帝、第二は国立・公立機関、そして第三は一人ひとりの官吏に対する尊称です。つまり封建制が廃止された郡県社会では、主人はなかんずく官家となります。この三者が指導層として法律を定め、規則を打ち立ててきました。言い換えるならその三者が、ずっと中国の意思決定主体だったのです。だから「官家主義」と名づけました。
こうしてみると中国社会は、秦の時代以来ずっと官家主義だというのが妥当ではないでしょうか。少なくとも「封建主義」や「専制主義」「皇権主義」といった名称より適切だと思います。

金 たしかに一理ありますね。

呉 もちろん、現在の中国共産党による支配体制も、「官家主義」がその本質となります。そして、中国共産党が指導する官家主義体制下で、潜規則、元規則、血酬定律を自分たちが変幻自在に運用できる環境と土台をつくり上げたのです。

金 呉さんが言うように、改革開放40年でも暗黙のルールは変わっていませんが、一方で、それによって社会に大きな変化がもたらされたのもまた事実だと思います。呉さんはこれをどう評価しますか?

呉 改革開放前の中国社会には、人々の多様性が欠けていました。たとえば意思決定力のある「官家」でいえば、せいぜい単なる農民ではない人民公社社員、単純労働者ではない官製企業の職員、そして官僚くらいだったのです。
しかし改革開放後、人民公社社員は自作農に変身します。その他にも「個体戸（グティフー）」、つまり零細企業経営者、農村企業家、農村企業資本家、農民工などなど、さまざまな〝人種〟が登場しました。それに合わせて、社会もより豊富で複雑で創造力のある状態を呈していると思います。その反面、秦以来2000年ものあいだ、しぶとく生き延びている官家主義の核心構造は変わっていません。

金 経済成長が政治改革を引き起こせるのでしょうか？

呉 西側諸国はかつてそう考え、あるいはそう期待していました。経済発展と政治変革は相関するという見方は、一理あるとは思います。しかしながら、詳しく検証すると反証も見つかります。たとえば人口一人当たりの収入が数万ドルに上る中東の石油立国では、いまだに政治改革は起きていません。逆に平均収入がわずか数百ドルのインドでは、政治改革が迅速に進んでいます。

このようにGDPや中産階級の増加と政治改革との連関性だけでは、いくらでも反証の余地が出てくるわけです。ですから民主化、憲政主義化を語る前に、まずはどうしたら独裁政権が崩壊するのかについて、語るべきではないでしょうか。

独裁権力は、いつか必ず倒れるに決まっています。なぜならこの対談でも述べたように、民の不満が高まるばかりだからです。

金 「潜規則」「元規則」をはじめとする中国の裏側のルールは、どうすればなくすことができるのでしょうか？

呉　いま中国では、全国的にデモが頻発しています。その大半が、まさに利益の境界線をめぐる摩擦ではないでしょうか。たとえば農民の土地の境界線は得てして曖昧ですから、だからこそ農民たちによる土地の権利をめぐる争いが始終起こるのです。

この土地争奪戦を経て利益の境界線がはっきりしてきて、きちんとした法律が生まれれば、トラブルは減少するでしょう。

金　中国人の忍耐力が強いように見えるのは、裏を返せば中国共産党政府の権力がそれほど強大であるということの表れなのでしょうね。

呉　その通りです。ですから基本となる国家と人々の関係を正常化し、恣意(しい)的なルールの変更、乱用による被害者を軽減していけば、次第に潜規則も元規則も血酬定律もなくなっていくでしょう。

ただし、これらの規則は何度も述べてきたように「暗黙」、つまりおしなべて中国社会の「死角」なのです。ですから、アタックしても容易に倒せる存在ではありません。なぜなら、法的にこうした死角を浮き彫りにし、排除するのは難しいからです。ここが大きな課題だと言えるでしょう。

理由 12

絶望のくらやみにいる中国人を光明へと導くのが文学者の使命

～「中国のカフカ」と称される女性作家の孤独な闘い～

ツァンシュエ
残雪（ざん・せつ）

作家。中国モダニズム小説の旗手として、世界的に高く評価されている。
1953年、湖南省生まれ。本名は鄧小華。実兄は、著名な哲学者の鄧暁芒。50年代、新聞社社長だった父が「極右」としてパージされたため、以後一家は迫害を受け、中学への進学を断念。職を転々としたのち、85年から創作活動を開始。中国国外で翻訳出版された作品が最も多い女性作家となる。2015年、『最後の恋人』がブックエキスポ・アメリカの最優秀翻訳文学賞を受賞。2019年、ブッカー国際賞にノミネート、ノーベル文学賞候補。

主な著作――『黄泥街』『蒼老たる浮雲』『カッコウが鳴くあの一瞬』（以上、白水社）『かつて描かれたことのない境地』『最後の恋人』（以上、平凡社）、『暗夜』（池澤夏樹=個人編集 世界文学全集、河出書房新社）など。

残雪さんは、現代中国文壇の輝かしい「異端者」だ。そして、その難渋で奇怪な小説様式から「中国のカフカ」とも呼ばれている。

1985年、彗星の如く中国文壇に登場した残雪さんの小説を読んでから、私はたちまち彼女のファンになった。80年代という中国文化の黄金時期にデビューした綺羅星（きらぼし）のような作家、小説家のなかで、〝途中下車〟を余儀なくされ姿を消した人々は多い。だが、彼女はカフカ的な「奇怪な小説」一筋を堅持し、いまや小説の大家として現代中国文学のなかで、他にはないユニークな地位を築いている。

ストーリーも登場人物も、さらには空間も時間も曖昧な残雪さんの作品は、リアリズムを信奉する作家と読者を遠ざけるに十分であった。にもかかわらず、若者層や知識層に彼女の熱烈なファンは多いし、アメリカや日本など海外にもファンがいる。世界的な作家でリベラル派知識人として知られたアメリカのスーザン・ソンタグは、かつて次のように評した。

「もし、中国でナンバーワンの作家を選ぶとしたら、私は迷うことなく残雪を選ぶ。中国で彼女の名前を聞いたことがある人は1万人に1人くらいだろうけど」（「人民網日本語版」2019年10月9日）。

一方で残雪は、中国の文壇とは交流を断絶し、毎日小説の執筆に没頭していて、ほとんど外部の人間と会わないという。私は彼女の兄である哲学者、鄧暁芒（デンシャオマン）華中科技大学教授と親しい友人であって、そのおかげで残雪さんと会って対談することができたのだ。

彼女は、決して声高に中国共産党批判を展開しているわけではない。ではなぜ、本書のラインナップに加えたのか。それは、彼女が政権というような狭い範囲ではなく、もっと広く中国、そして世界の文化、文学を批判的に見ている姿勢が強烈だからだ。

さらに、日本にもファンがいるとはいえ、その数はまだまだ少ない。だからこそ、彼女のように、中国という〝小さな庭〟を飛び越えて、世界的に活躍する女性作家がいるという現実を、改めて日本人に伝えたいと思ったのだ。

残雪さんは、50年代に父が右派として断罪されたせいで、中学すら行けていない。それでも才能を開花させ、前出のソンタグをして「中国でノーベル文学賞を取るに値する唯一の人物」とまで言わしめた、世界的作家へと大きく羽ばたいたのだ。これは文学界のみならず、ややもすると閉塞感に覆われた日本の社会全体にとっても、大いに注目すべき点ではないだろうか。

北京郊外の自宅で、残雪さんとご主人の魯庸（ルーユン）さんが私を笑顔で迎えてくれた。兄の友人である、日本からはるばる来てくれた私に対して、彼女は親近感を抱いていたのだ。そんな空気のなか、残雪さんに思いの丈を語ってもらった——。

世の中への反抗手段としての小説

金 残雪さんの小説は、中国文壇では他の誰とも違う哲学的な香りがとても感じられます。少女時代から哲学が好きだったそうですね？

残 ええ。子どものころから哲学と文学をとても愛してきました。兄、暁芒の影響が大きかったですね。14歳のときからヘーゲルとかニーチェを読破してきましたから。

金 1985年の処女作『山上的小屋』（未邦訳）以来、短編、長編問わず、残雪さんの小説はすべてが奇怪で非常に理解が難しいものばかりです。あなたの小説を読むためは、一般読者はもとより、文学研究者、批評家にとってても忍耐力と、ある種の勇気が必要だと思います。なぜこんなに難渋でしょうか？

残 そうですね、私の小説は一回読んだだけでは理解できないでしょう（笑）。なぜなら、私は人が見えないところ、たとえば魂にまで踏み込んで小説を書くからです。魂は目に見えません。そんな不可視的なものを作品で可視化しているわけです。だから、私の小説を読んだ人は皆、驚くのではないでしょうか。

金 世俗的な見方に染まったわれわれ読者は、そうした一般的な概念では理解が及ばない魂の

自宅でリラックスしながらも、鋭い中国文学批判を繰り出す残雪（左）。

残 世界に初めて接するから、残雪さんの作品を難解で奇怪だと思うんですね。その通りです。私は作品で何かを描写しようと思ったことはありません。ただ、原稿用紙と向き合い、私にしかない「野望」のおもむくまま、これまでにないまったく新しい世界をつくり出しているのです。だから、「残雪は小説で○○を描写した」「××を表現しようとした」などと批評する評論家たちは、実は全然私の小説を読み解く資格すらないといっても言い過ぎではないでしょう（笑）。

金 厳しいですね（笑）。となると、残雪さんの世界観、価値観は世俗とは真逆の位置にあるということですか？

残 完全にそういうことです。私は幼いころから、自分だけのスピリチュアルな世界観で生きてきました。大人たちがこうだと言ったら、私はあえて「違う」と言う子であったのです。私の世界観は私が自分の想像力だけでつくり出したもので、世間一般の価値観とは相容れないものでした。ただし、私も俗世間から離れては生きていけません。だからこそ私は、そうした世の中に反抗する方法として、私だけの世界を創作する、つまり自分にしか書けない小説を、ずっと書いてきているのです。

なぜ中国文学には古典的名作が生まれないのか?

金　その反骨ぶりも少女時代からだったんですね（笑）。残雪さんは、自分の文学に大きな影響を与えた作家は、カフカと日本の川端康成だと語っていますよね。川端は置いておいて、カフカの小説と比較すると、お世辞ではなく残雪さんの作品のほうが上を行っている気がします。実際、評論家のなかにもそう評価している人もいますし。

残　私も同感です（笑）。自画自賛になりますが、カフカの小説の領域は私より幅が狭く感じます。人間の不条理に関する思考は良いのですが、人間性、人間の自我、意識などについては、私は彼よりもより深い表現ができていると自負しています。世界でも、私のような小説は前例がありませんから。
いま、世間では「謙虚であること」が評価されがちですが、私はそんな「うわべだけの謙虚さ」は大嫌いですね。

金　残雪さんは、中国文学、とりわけ現在の中国文学に対してどう評価しているのでしょうか。

残　いまの中国の文学は、率直に言って幼稚でしっかりした自我もなく、しかも商売っ気だけがやたら強く、政治的色彩が濃すぎるのが欠点です。

金　なぜ、中国の文学はそうなってしまうのでしょうか？

残　それは、中国の伝統という〝土〟のなかで育まれた文学は、人間性を深く掘り下げるには、あまりにも力不足だからです。たとえ、こうしたことにトライしようとしても、〝土〟が理性という〝光〟を遮断してしまうから、結局、人間というものの〝深掘り〟にまで行き着かないのです。

金　〝土〟ということは、つまり中国的農耕文化の伝統に、その要因の一端があるということでしょうか？

残　その通りです。中国文化は一種の土俗的、世俗的特質を持っている反面、「美」や「愛」、そして「世界」に対する好意的な視点が欠落しています。そもそも、中国人は精神的な深みを突き詰めることなく、損得勘定、世俗的利害をベースに生活を営んでいますから、そうした視点からしかこの世界を見られないのです。
ですから、そんな中国の文壇から、未来永劫残る古典的名作が生まれるはずがありません。
中国の文学界では、いまでも「民族性」と「世界性」に関する議論が戦わされていますが、そもそも、こんな低俗なテーマからいまだに脱せないこと自体、中国文学界隈の人たちの偏狭さと下品さの表れなのではないでしょうか（笑）。
そんなつまらない議論よりも、いまの中国に必要なのは、生命、人間性、自由、独立に対するあくなき追求と、文学者自身が遠大な気迫を抱くことなのです。

政治だけでなく、文学賞選考にもはびこる不正と腐敗

金　それにしても、中国における『源氏物語』とでもいうべき18世紀中期の名作古典『紅楼夢（こうろうむ）』や、1997年にフランスのフェミナ賞外国文学賞を受賞し、日本でも『老生』などの作品が翻訳出版されている賈平凹（ジアピンワ）、2012年に中国人初のノーベル文学賞受賞者となった莫言（モーイエン）、そして『活きる』『兄弟』など多くの作品が邦訳され日中両国で人気の余華（ユイファ）など、当代の名作家も生まれているではありませんか。

残　以前、述べたことがありますが、『紅楼夢』は世俗の森羅万象を描写している反面、人物の自我意識の描き方においては表面的なものにとどまっていると言わざるを得ません。人間の成長でいえば、子ども時代で足踏みしているようなもの。やはり、西洋の古典文学のような〝成熟〟が欠けていますね。

このような文化環境で生まれ育ったからこそ、あえて私はこの文化的な後進性を批判するのです。中国文学は、成熟したレベルへ進化しないといけませんから。

金　きわめて残雪的な批判ですね。中国文学の最大の欠点は何だと思いますか？

残　中国文学に潜在する最大の欠点は、いま述べたような未成熟な「幼稚性」「児童性」です。ことに男性作家がそうなのです。もちろん、私が女性だからそう見えるのかもしれませんが……。もっとも彼らの現実主義、浪漫主義の表現では、高いレベルの自己反省はとても期待できませんね（笑）。

金　面白い指摘ですね。

残　80年代は先ほど金さんが言った余華や、張芸謀（ジャンイーモウ）が監督し鞏俐（コンリー）が主演した映画『紅夢（こうむ）』の原作『妻妾成群 紅夢』（『季刊中国現代小説』第1巻20号収録）や『河・岸』（白水社）、『離婚指南』（勉誠出版）など日本語訳も多数出ている蘇童（スートン）らが、すぐれた作品を世に送り出しました。ところが、40歳を超えた頃には、彼らのパワーも減退。莫言もやはり40歳を超えると、新しい文学の探究よりも、過去作のコピーにとどまっています。いわば、中国の文壇は集団的退行をしているということ。そして、こぞって中国伝統文化に回帰することこそが、唯一の進むべき道だと考えているのです。要は、自分たちの祖先のもののほうが、西洋よりも優秀だという思考です。こういうことを言うから、文壇の男性作家、評論家たちの大部分は、私のことを目障り、不快だと思っているようですが（笑）。

金　なるほど。男性作家をすべて敵に回しましたね（笑）。

残　結局、彼らは卑屈で、度量が狭い。中国文化のなかに安住しながら、いったい何を守るというのですか。伝統だけを守って革新を期待できますか。

金　残雪さんが中国文壇の主流とお付き合いをしないのは、こうした〝次元の格差〟があるためでしょうか？

残　そうですね。私は中国作家協会のトップから、「残雪さん、大きなイベントがあるから参加してください」と招待されても、きっぱりお断りします。私がなぜそんなところに所属し、イベントに出なければならないのでしょうか。

私は、独立自由をたのむ一作家として、創作に専念することだけで十分です。お互いに低レベルの作品を褒めちぎり、その出来をでたらめに吹聴し合ったりする。こんなことができるのは、皆が皆、自分の作品に自信がないことの表れですね（笑）。

金　中国の文学賞選考においても、腐敗、不正が蔓延していると聞いていますが……。

残　中国の政治腐敗、不正も世界的に有名ですが、文学やアカデミズムの世界での腐敗、不正も半端ではありません。もちろん、文学賞選考にも不正がはびこり、常に中国の話題になったりするのが現状ですから。

多くの作家が文壇において、中国語で言うところの「混(フン)」している状態です。つまり、みんな適当にごまかしながら、うまく世渡りしていくという……。いわゆる「批評家」といわれる人々と結託して、一緒になって読者をだましまくっているのです（笑）。なぜこんなことができるのか。それは、大多数の一般読者がまだまだ未熟なので、作品の良し悪しの判別ができないからです。いまや作家たちの「混」の黄金時代到来と言わざるを得ません。自分自身の才能が枯渇したことを隠すため、「混」を「転向」と言い換えているのが現実なのです。

金　残雪さんのように文学に命をかけて一生懸命追求する作家は、中国には本当にいないでしょうか？

残　いません。いまの中国は物欲横溢、精神退廃の時代です。私のように30年以上終始一貫して人間の魂に迫るような作家は、ほとんどいませんね。

踏みにじられ汚れても決して消えない「雪」

金　残雪さんは、やはり一人ぼっち、あるいは一匹オオカミとして、徹底的に反骨的かつアンチ伝統的文学に取り組んでいます。当然、大変なこともあるのでは？

残　やはり、国内ではまだまだ理解者が少ないですね。もちろん、これは体制の主流派作家連中が私に圧力をかけたり、あまつさえ排斥さえするからです。もっとも体制内の主流文学

金　に迎合しない私ですから、当たり前といえば当たり前ですが……。

だから、体制側からは当然、評価されませんし、好意的な論評など望むべくもないのが現実です。それどころか、ときには私を中傷するようなことを言い触らし、さらには密告などの手段を使って、私の作品の出版を阻止しようと仕掛けることすらあります。

こんな状況が、私の30年以上の創作人生でずっと続いているのです。しかも、一部の人たちは「政府のためにチェックする」という口実で、私のような非主流派の文学者を弾圧しようとすることもあります。ある種の民族主義的な情緒を利用して、文学を見せかけの一枚岩にしようとする……。中国ではこんな傾向が強いですね。

しかし、私は体制の外側で、ひとりでこつこつと「残雪の王国」を建設してきました。これからも私は自分の「王国」のために、またこつこつと着実にやるしかないですね。

「残雪」というペンネームはユニークですが、自身のある種の信念のシンボルなのでしょうか？

残　そうです。「残雪」とは、大部分の白雪が春に溶けて、残った山頂の雪のような〝頑強な生命力〟という意味です。一方で、地面に残った雪が、踏みにじられて汚れても決して姿を消さないという〝根性〟も表しています。

つけた当初は考えていませんでしたが、私のペンネームはなぜか、いまの私の置かれた立場とぴったり合っています。体制の主流派から排斥されても、自分の文学を堅持する孤独な運命とでも言いましょうか……。

金　私の持論としては、中国文学の主流は依然として農村と農民を描き出す、一種の「農耕文明圏」、あるいは「農村文学圏」にとどまっていると思います。この対談でも言及した莫言、賈平凹、余華、そして本書に登場するひとりでもある閻連科（イエンリエンコー）（「理由5」参照）までも、ほとんど農民、農村文学を乗り越えてはいません。

一方、西洋や日本のような先進国は「都市文明圏」へと成熟し、文学の主流も都市文明圏、あるいは「都市文学圏」の次元です。

なかには、2013年にフランス芸術文化勲章を受章した王安憶（ワンアンイ）のように、都市の様子を書く作家もいないことはありませんが、やはり中国文学の主流は伝統的「中国農村文明圏」を脱していないのが残念ですね。

残　完全に賛成です。金さんのご指摘通り、中国文学は、いまだに「農村文学」の次元を延々と周回するという致命的欠陥を持っています。ただし、「欠陥」と言いましたが、やはり現在の中国文明のレベル全体が都市文明圏にまで成熟していないので、結果として作家は依然、農民の頑迷固陋（がんめいころう）な生活を書くのに長（た）けているという言い方もできますね。

それよりも、さらに悲劇的なのは、相も変わらず政治イデオロギーに忠実に迎合し、政治の下で政治のために文学をすり寄せる「政治の手先」という伝統から完全に脱皮していないこと。文学は政治の道具ではないにもかかわらず……。

私のような政治や国家を超え、人間の普遍的な心の内面、魂の世界を探究する文学者のことを、彼らは理解できないし、そもそも理解しようとすら思わない。私と彼らの間には、巨大な溝が存在しています。そういう意味で、次元が違いますね。

絶望のなかでも苦難に打ち勝つ

金　残雪さんの小説は世界的に高い評価を受けています。日本でも翻訳され、読まれています。中国大陸の女性作家の作品のなかで、最も数多く海外出版されているのが残雪さんの小説や評論集です。もちろん、中国人以外のファンもたくさんいます。こうした国内外での評価の違いは、どこにあるとお考えでしょうか?

残　ちょっと反証的な言い方になりますが、中国の作家が日本であまり受け入れられない理由は、言葉が洗練さに欠けていて、粗雑であることと、さきほど金さんが指摘したように、都市文明まで成熟せず農耕文明圏の次元にとどまっているからでしょう。もちろん、政治イデオロギー色が濃厚な小説も読みにくいかもしれませんし、作品における文学的想像力が弱いのもその一因でしょう。

たとえば私の作品を多数日本語に訳している近藤直子日本大学教授の表現を借りれば、残雪作品のなかにある通俗的な世界を超越した、より深い人間の内面の世界に、日本の読者は惹かれたのではないかと思います。

一方、西洋の人々は、私の作品からモダニズム小説にはない「新しさ」を発見したのだと思います。中国の80年代以来のモダニズム小説は、偏狭で想像力に欠けていると評されてきましたが、私の小説においては、絶望のなかでも苦難に打ち勝つパワーを感じられると評されるそうです。

やはり、中国の作家たちが固執する農耕文明圏での小説スタイルと、まったく異質のポストモダニズム的思考や美意識などが認められたと言えるのではないでしょうか。

金　同感です。今後、中国文学が世界的に認められるためには、どうすればいいでしょうか？

残　中国の作家たちは80年代以降、西洋文学に学んできたのですが、創作に対する自覚に欠けていて、想像力も弱く、結局みんな中国の伝統文化に戻ってきてしまいました。

西洋から学んだけれど、表面的な技法の〝猿まね〟にとどまったため、まもなく退化し、発展できなかったのです。ただ、これは当然の結果だと思います。なぜなら、当時の中国の文壇は外来の文化を吸収するために必要な力も気迫もなく、本気で学ぼうとしなかったわけですから。

95%の中国人作家は中国の伝統文化を頼りにする一方、西洋のスタイルは理解したくもないし、怖がってすらいる。一種の自己コンプレックスです。

だから、やはり西洋の文明に学ばないといけません。表面の技法だけをまねるのではなく、精神の奥深いところまで学ぶ必要があります。

ただし、私は西洋文化に学ぶことを主張はするけれど、自分自身にも中国の伝統的な素養が根づいていることを認めないわけにはいきません。ですから、私は自己批判をするため、あえて〝西洋文学〟という武器を用いたのです。こうしたやり方で西洋文学から改めて知識、技法などを学び取れば、中国文学の未来も約束されると思います。

中国人は自己を喪失して生きる楽しみを失った愚かな病人

金　日常の残雪さんは、どんな「異端者」なのでしょうか(笑)。

残　小説家としての私は異端ですが、実は生活者としての私はかなり世俗的人間です(笑)。私は人々との交際を一切しないし、毎日執筆と読書に専念しているだけです。家事も主人

金　がやってくれますから。

残　だからですね。ご主人の先ほどの手料理は大変おいしかったです。やはり専業主夫の応援はありがたいですね（笑）。

金　ええ。私は毎日毎日、３６５日、読書と執筆だけです。春節すら休みません。１日でも休むと病気になりそうで（笑）。

残　執筆スタイルはどんな感じですか？

金　午前中に約1時間、ランニングをして、シャワーを浴びてから1時間ほど執筆します。原稿用紙に肉筆で書くんです。

残　私と同じく古き良き手書き派なんですね（笑）。

金　私は一切構想もなしで、原稿用紙を開くや否や、すらすらと書き進めていきます。しかも手直しもありません。毎日、執筆を終えたら哲学書を読んだりします。哲学書も何冊か出版しました。北京大学の哲学科教授のレベルなど、私の目には低すぎますから（笑）。

残　果たして、もの書きのために生まれた天才ですね（笑）。ある学者は「残雪は精神の深い次元を追求しながら、中国文学史上初めて文学的方法でそのプロセスを描写することができた」と評価しました。

金　ありがとうございます。実は暗黒のなかに暮らす人間は、自分がくらやみのなかにいることを自覚していません。われわれが、かつての文革期、世界で一番幸せな楽園だと錯覚したように……。

中国国民は皆、病気に苦しんでいます。しかも、その病気が骨の髄まで達している、きわめて重篤な患者です。では、それは何の病気なのか。魯迅（ろじん）が言った「阿Q病」、つまり自己を喪失して生きる楽しみを失った、そんな愚かな病人です。

自分自身を知ることは、視力を失った人が光を回復するのと同じこと。私はただ、くらやみの深淵から絶え間なく道を切り拓き、その一灯をもって人間を光明に導く使命感とともに生きているだけです。

もちろん、作品づくりは、私と中国で生きる人たちとのあいだをつなぐ、特殊な交流方法でもあります。私は、80歳まで健康で長生きする自信があります（笑）。ですから、それまで創作活動を続けるつもりです。

理由 13

新たな「対日関係の新思考」をいまこそ始めるべきだ

~知日派の代表格による未来を変える提言~

マーリーチョン
馬立誠（ば・りっせい）

元『人民日報』評論部主任編集者（論説委員に相当）。中国でも随一の知日派ジャーナリストとして強い影響力を誇る。
1946 年、四川省生まれ。『中国青年報』評論部副主任、香港フェニックステレビ評論員などを務める。99 年、香港の雑誌『亜洲週刊』で「最も影響力のある人物 50 人」の第 1 位に選出。2002 年、中国のオピニオン雑誌に、反日感情を非難し日中両国の融和を訴える「対日関係の新思考」を発表し、内外で反響を呼ぶ。東京大学客員研究員、シンガポール国立大学訪問学者、北海道大学特別招聘教授などを歴任。現在は北京を拠点に言論活動を続けている。

主な著作――『憎しみに未来はない―中日関係新思考』（岩波書店）、『反日―中国は民族主義を越えられるか』（中央公論新社）、『謝罪を越えて―新しい中日関係に向けて』（文藝春秋）、『中国を動かす八つの思潮―その論争とダイナミズム』（科学出版社東京）など。

馬立誠さんは、2002年に中国のオピニオン雑誌『戦略と管理』において発表した論文「対日関係の新思考」で、日中両国にセンセーションを巻き起こした著名なジャーナリスト、政治・国際関係評論家である。

馬さんは「対日関係の新思考」において「日本はもう20回以上謝罪しているのだから、中国は未来志向の日中関係を構築すべきだ」「国土が狭く資源の乏しい日本が世界第2位の経済的地位にあるのは、アジアの誇りだ」と主張し、日中のマスコミで大きな反響を呼んだ。その一方、中国のネット上では「売国奴」という猛批判を浴びている。

2015年6月、馬さんは日本各地で講演に招かれた際「東アジア和解学」を提案した。その骨子は、ドイツとフランス、ロシアが戦後和解を達成したように、未来思考で東アジアの日中韓3国が和解に向かうための方向性を考えようというものだ。なかでも、「平和」「反省」「寛容」がその重要な柱となっている。

私は、馬さんの「対日新思考」に共感を覚え、その後2013年に香港で出版された『仇恨没有未来』(邦訳『憎しみに未来はない―中日関係新思考』岩波書店)を読み、さらに理解を深めた。

率直に言って、当時の中国のような「反日感情」が強烈な社会において、馬さんの「対日新思考」はあり得ない発想であり、その反面、だからこそ非常に有効な思考法でもあった。しかも私は、彼が中国共産党の機関紙である『人民日報』の記者、論説委員という体制内にいながら、このような新しい考え方にたどり着き、提案する、その勇気に惚れたのだ。

インタビュー時点で、馬さんはすでに定年を迎え北京に戻っていたが、なおも精力的に評論、執筆、講演活動を中国、香港、日本などで展開していた。

一体、馬さんは日中関係について、どんな新しい考え方を持っているのか。そこをどうしても聞きたく、ようやく2017年8月、北京のある喫茶店で初めて会い、心ゆくまで話し合った。そして翌年、もう一度馬さんを北京に訪ね、議論を深めた。

馬さんの「対日新思考」は、着実に進化していた。しかも「東アジア和解学」は、さらにすばらしい思想へと昇華していたのだ――。

「日本はもう中国に謝罪しなくていい」

金　2002年末に馬さんが発表した「対日関係の新思考―中日民間の憂い」は、当時、センセーションを巻き起こしました。歴史問題を超えて、日中関係を斬新な思考でとらえ直した画期的な提言だったと思います。日中のマスコミでも大きく取り上げられましたね。その後、日本語版『日本はもう中国に謝罪しなくていい』（文藝春秋、文庫版『謝罪を越えて―新しい中日関係に向けて』）も出ました。

馬　そうですね。「対日関係の新思考」は、それまでの中国ではあり得ない考え方でした。主な内容を振り返ると次のようになります。

「日本はすでに戦争を起こしたことに対して何度も謝罪、反省をしているし、日本が再び軍国主義になる可能性はない。戦後、日本社会は反省を通じて、平和志向の社会に変貌した。変化した日本に対して、依然として変化しない過去のイメージに囚われているのは愚かなこと。これからは恨みを超え、未来志向になるべきだ。協力、友好の道へと進み、経済面で日本と競争しよう」

当時の日中関係は、政治は冷え込んでいても、経済は盛り上がっている「政冷経熱」の状

馬立誠（右）の「対日新思考」は、習近平政権の対日政策にも影響を与えていると言われている。また、『中央公論』（2020 年 6 月号）に、「一八年を経て掉尾を飾る 新時代に踏み出す中日関係——対日新思考を五たび論ず」を発表したように、現在も日中関係の新たな形を模索し続けている。

態にありましたので、政府もマスコミもたいがいは賛同の姿勢を示しました。しかし中国国内では、一部の人々やナショナリストから、ひどい罵詈雑言も浴びましたね。私は文化大革命以降、最も中傷された知識人ではないでしょうか(笑)。

金　馬さんは、どういう理由で「対日関係の新思考」を提言するに至ったのでしょうか?

馬　ヨーロッパに比べれば、東アジア各国の協力体制は進んでいません。私は、日中韓が経済で一体化していくのが、関係を改善する早道だと考えたのです。この一体化を実現していくなかで、日中関係こそが要になる。この両国が和解できなかったら、一体化の大きな障害になる。日中がいつまでも対立し続ければ、いい結果は生まれない。そうなると、お互いに不利です。なにより、中国にとって不利益な状況になることは言うまでもありません。そこで「日中新思考」論文を執筆したのです。

日中間のパワーバランスの変化を受け入れよ

金　日中和解の障害になっているのは何だと考えていますか?

馬　それは両国ともに原因があると思います。まず、中国側から言えば、一部、とくに知識人のなかに極端な思想が存在し、歴史教育も偏っている場合が多い。政治においては、日本を歪曲して批判する考え方が存在します。

実際、われわれ中国人は、日本に対してあまりにも無知であると指摘せざるを得ません。日本の社会は総じて言えば、歴史認識に対して理性的であり、「右翼」と呼ばれる国粋主義者は少数派です。

言論の自由が十分に保障されている日本では、さまざまな極論や異論もありますが、日本の国民に「中国と戦争するのか」と質問してみたら、ほとんどの人が反対するでしょう。

私は、日本において軍国主義が復活することは、最初から不可能だと信じています。なぜなら、われわれが知っている通り、日本は高度な民主政体を構築していますし、さまざまな力によって互いに監視、牽制し合うようなシステムが備えられているわけですから。

金　私も、日本では戦争に対する反対ムードが行き渡っているので、軍国主義の復活は不可能だと確信しています。中国は日本に対する認識や理解を、もっともっと深めなければならないですね。

馬　同感です。日本側の原因はこうだと思います。中国が現在「大国」として台頭しながら経済成長を成し遂げ、ＧＤＰでも日本を凌駕（りょうが）し始めると、日本としてはその原因を考えざるを得ないわけですね。
つまり、中国の急激な台頭に対して、日本人は適応し切れていないということになります。

いままで後進国だった中国が一躍経済大国になったわけですから、日本人の心情も穏やかではないはずです。

金　日中間のパワーバランスの変化に対して、それを受け入れられない日本人が出てきてもおかしくありません。ただ、経済以外にも環境問題や人権問題、労働問題などに対する中国批判が続出しています。

馬　それは、当たり前だと思います。歴史に対するわれわれ中国人の偏った認識、とりわけ感情的、情緒的に歴史をとらえようとする傾向がきわめて強いのが問題です。

歴史的に日本軍の侵略は事実だし、また、それをたやすく忘れてしまうことはできません。これは言うまでもないことです。しかし問題は戦後、すでに平和大国として変容した日本、日本人を、なぜ中国では、まともに評価しようとしないのかということ。

戦後、日本は中国に対し、150以上の重大なプロジェクトを支援し、6兆円ものODA（政府開発援助）を惜しみませんでした。なぜ、このような援助に対して言及、感謝しないのでしょうか。

この点では、シンガポールは中国よりすぐれています。都合の悪い歴史を忘却せずに、しかも一部分だけを見るのではなく、全体としての歴史を理解していますから。このように、歴史の真相をはっきり理解したうえで、初めて深い反省が可能になるのです。

金　中国では「抗日」をテーマにしたテレビドラマや、あるいは教科書において、日本の悪いイメージを繰り返し宣伝していますが、戦後、変化していった日本、平和な日本の生活文化などはあまり知られていませんね。

馬　中国側が〝謝罪思考〟を乗り越えない限り、新しい日本認識、日中間の友好関係を築くことは、ほとんど不可能に等しいでしょう。

私は、日本の「謝罪」について研究をしてきました。日中国交正常化以来40余年、日本の国家指導者たちは25回も中国に反省、謝罪の意を示しています。

日本は明確に中国に対する「侵略戦争」の事実を認め、「植民地統治」を実行したことに対して「深い反省」の意を示してきました。私は2013年に刊行した著書『仇恨没有未来』（邦訳『憎しみに未来はない――中日関係新思考』岩波書店）のなかで、何度もこのことについて論じています。

金　未来志向的な提言でしたね。

いまの中国人に「元寇」の責任を取らせられるのか？

馬　日本の中国侵略戦争によってもたらされた被害は、いかなる謝罪の言葉をもってしても弁償することは不可能です。しかし、戦後70年以上が過ぎた現在、われわれはどうすべきなのでしょうか。

まさか、日本の首相がひざまずくまで待つのですか。あるいは、一部の中国人が考えているように、「東京まで侵攻して、日本を中国の省のひとつにする」のでしょうか。

理性が少しでもある人だったら、あまりに無茶な考えだとわかるでしょう。毛沢東や鄧小平は、当時の日本人の反省を、すんなりと受け入れました。それは賢明だったと思います。毛、鄧らは、抗日戦争を指導した人物でありながら、これほどまでに寛容な態度で歴史問題に向き合っているのに、なぜいまになって考え方が後退し、未来志向で両国の関係を見てはいけないと言うのでしょうか。

金　おっしゃる通りです。中国国内で起こした大失策に対してすら、いまだに反省、謝罪をしたことがないのに……。

馬　そうですね。われわれは自分たちで起こした文化大革命など、残酷な過去の問題に関して、国民に向かって謝罪したことなど一度もありません。国内で同胞が数千万人も犠牲になった、歴史上前例のない悲劇なのに……。

ましてや、日本の天皇に、ドイツの首相のようにひざまずいての謝罪を要求したとしても、果たして、その実現可能性はどれほどあるのでしょうか。われわれは、「内省」という文化的伝統を持っているじゃありませんか。

もっと言えば、他国の元首がひざまずいて謝罪しなければならないような、国際法的な根拠はどこにもないのです。では天皇がひざまずかない限り、両国は未来永劫、反目、敵対し合うべきなのでしょうか。

つまり、私が言いたいことは、謝罪は必ずしも形式に束縛される必要はないということです。いまの日本の10代、20代の若者に、彼らの祖父、曽祖父の世代がしたことに対して、責任を持てと言って何の意味があるのでしょうか。強圧的に要求することはできるでしょうが、彼らはかえって反発し、反中感情を強めてしまうでしょう。

元、つまりモンゴル帝国時代、日本を二度侵攻したことに対して、いまの中国の若者に「その責任を負え」と注文しても何の意味があるのでしょうか。歴史を記憶することはいいですが、かといって、その歴史的な事実とともに永遠に生き続けていくことなど、できないはずです。

金　馬さんは、国内では「売国奴」というレッテルが貼られていますが、それでも日中関係に対して真摯な発言をし続けるのはなぜなのでしょうか。その行動は尊敬に値すると心から思ってはいますが……。

馬　ありがとうございます。インターネットやウェイボー（中国版ツイッター）では、一部の人たちが私に対して攻撃してきますが、薄っぺらい悪口雑言を量産し、中傷する彼らよりも、私のほうが何十倍も愛国者であると自負しています（笑）。真の愛国者は、開放的思想と広い視野、冷静な理性的思考の持ち主だと思いませんか。それに、自身の哲学や真実に基づいた話を、包み隠さず、国や民族のために果敢に公言する胆力がなければダメです。

「対日新思考」を含めた私の一連の主張、たとえば「中国は謝罪思考から脱し」「恨みを超え」「未来志向で両国の関係を改善するべきだ」というのは、いまの中国国内では私以外誰も提言できない有益な考え方であると確信しています。

金　なるほど。馬さんのように国の弱点と病弊をあえて批判し、新しい対策を提言できるくらいの見識と勇気を持つ人こそ、本当の愛国者だと思いますね。

馬　真の愛国者と、愛国者を非難し「愛国」を叫ぶだけの「売国奴」は、本質的に天と地ほど違います。逆に聞きたいんですが、日本では批判に対する寛容の精神が中国よりも強いと聞いていますが……。

金　たしかにそうです。世界的に見ても、日本人は国民の資質が総合的に高いし教養があるので、批判に対しては比較的寛容です。いまの中国は、日本で1930～40年代にナショナリズムの嵐が吹き荒れていたのと、同じような様相を呈しているように見えますが、いかがでしょうか。

愛国心すら出世、金儲けの道具となる現実

馬　「愛国心」の中核をなす中国のナショナリズムは膨張していると言えます。愛国が一部の人間の避難所や看板として利用され、自分自身の利益のための商売道具となってしまうと、それは悲劇です。

私の友人で歴史家である中山大学の袁偉時(ユアンウェイシー)元教授(「理由1」参照)も、私の主張を支持してくれるひとりです。ただし彼は、こうつけ加えるのを忘れてはいません。「残念ながら、民族主義が一部の人間の出世、金儲けの手段として利用されるので、民族主義は単なるいちスタイルにすぎないものに変質してしまった」と。

金　愛国心すら出世、金儲けの道具になるなんて、いかにも中国らしい話ですね。

馬　金さん、こんな話があるんですよ。北京大学のある女子学生は、クリントン大統領が北京を訪問した際、大統領にアメリカをけなす質問をしたがゆえに、一躍、愛国者として有名人になったんです。

ところがその後、すぐにアメリカに留学し、アメリカ人男性と結婚し、アメリカ国籍を取

得します。アメリカをあれほどけなしていた彼女が、すっかりアメリカ人になってしまったのです。一体、どれが本当の彼女なのか、誰もわかりません（笑）。

このように中国では袁さんの言う通り、愛国が一部の人間に利用され、自分自身の利益を獲得する手段になってしまっているわけです。

1990年代初頭、天安門事件などにより中国は西洋から制裁を受けたため、民族主義の膨張を招くことになりました。一応、一理あると言えばあるので、それはそれでかまいません。しかし民族主義は、常に理性と反省でコントロールしなければならないのです。自己抑制ができないため、管理しないと民族主義は果てしなく膨張してしまいます。そのため、せっかく80年代の鄧小平時代に築かれた日中間の蜜月関係は、歪んだ民族主義によって破壊されてしまいました。民族主義は諸刃の剣です。それは、相手に対して恐ろしい存在であるだけでなく、自分自身にとっても危険な存在なのです。

金　先ほどの袁さんをはじめとする多くの中国の碩学（せきがく）たちは、民族主義が膨張する危険性について繰り返し指摘してきました。実際、ナショナリズムは、ことに90年代以降、中国、韓国で間断なく高揚し続けてきたと思います。

中国、韓国、さらに北朝鮮のナショナリズムによる挑発行動が一種の〝導火線〟となって、日本のナショナリズムに火をつけたともいえますが、この点、馬さんはどのようにお考えでしょうか？

馬　金さんの意見に賛成です。鄧小平時代まで、日中関係は穏やかに発展し、まさに友好関係を築いていました。1984年、鄧氏が当時の中曽根康弘首相と会談する際、「日中関係を長期的視野のもとで発展させ、まずは21世紀、そして22、23世紀と、日中友好の方針を永遠に貫くこと」と言ったのです。この発言には、両国のあいだに横たわる問題、軋轢(あつれき)を乗り越える重大なメッセージが込められています。

しかし、その後、江沢民(ジァンズーミン)時代に入ると、日中関係は急速に悪化しました。中国のテレビでは、数百以上もの抗日ドラマが放映されます。さらに2012年9月、日本の尖閣諸島国有化をきっかけに、中国全土85都市で反日暴動が勃発しました。

その際に、一部の人たちはマスコミやインターネット上で「日本を火の海にし、日本民族を絶滅せよ！」と、戦争も辞さないことを公言していましたね。その後もそうした声が上がり続けることに対し、中国社会科学院副院長を務めた劉吉(リウジー)さんは「国内の一部の人による日本に対する罵倒や脅迫は、安倍政権にとって、日本の主張に対し国際的な支持を獲得するための有利な根拠を提供した」と指摘しています。

たしかに日本のナショナリズムも、日中関係に同じくマイナスとなる〝反作用〟を引き起こしました。2002年に発表した「対日関係の新思考」でも、私は日本の熱狂的右翼のナショナリズムに対して批判しています。
現状をまとめると、日中、さらに韓国で、まさに暴力的なナショナリズムが高揚している状況にあると言えます。この対立は非常に危険です。

金　この作用反作用のトライアングルが生まれた原因は、何だと思いますか?

馬　東西冷戦の終結後、近代以来の国家間の力学関係が逆転する現象が起こると同時に、とりわけ中国が2000年代に経済大国として急成長を遂げ、日本をしのぐようになりました。そのため、中国人のなかで民族的な自信が育まれ、かつて打ち負かされた歴史的屈辱とオーバーラップし、急進的な民族主義、暴力的な愛国主義として噴出したわけです。
韓国は中国よりも民主的ではありますが、やはり民族主義においては、すさまじいパワーがあると思います。一方日本は、いまやアジアでの覇権を中国に譲らざるを得なくなり、少子高齢化や経済的不振が重なって巨大なプレッシャーを感じていました。日本のナショナリズムも、やはり中韓に対する「反発の力学」として生じたのではないでしょうか。

金　なるほど。東アジアの問題は、情緒的で偏狭なナショナリズムから脱皮して、相互の価値や存在を認め合うことが大切ではないでしょうか。中国も、大国らしい大らかな寛容性と品格を持つことが必要ですね。

〝復讐心〟を輸出することなどできない

馬 おっしゃる通りです。中国は平和的な国家、大国として変容し、それにふさわしい態度を示して、世界から尊敬を集めるような国にならなければなりません。真の大国的な態度とは、つまり漢・唐時代の気概です。大国的な度量で周辺国家と悠然と接し、相互信頼関係を構築したうえで自信を持ってさまざまな問題に柔軟に対応する……。

私が「対日関係の新思考」を書いたのも、そのことを主張するためでした。

中国と日本に関する数多くの私の論文は、いずれも中国の本来あるべき姿を伝えるために発表したもの。しかし、多くの読者は、そこを読み取ることができなかったのです。19世紀のアヘン戦争当時の情緒から脱していない人が多いんですね。このような国民的心理は、大国にそぐわないと思います。

金 大国らしい自信と文化的余裕があるべきですね。

馬 そうです。韓国人はきわめて激しい反日デモをしますが、それを見て、中国人にはそのような熱狂的な民族精神が欠けていると指摘する知識人もいます。ですが正直に言いまして、そのような愛国への情熱はどうにか理解することはできたとしても、実際にデモ行為を行うことには、とても賛成できません。

第一、中国と韓国を比べる必要などないのです。アジアの大国であり、世界第2位の経済大国としての風格を持つべきではないでしょうか。そもそも常に復讐心に燃えている大国があること自体、とても恐ろしいことです。

中国が真摯に考えるべきことは、国家が強大になったからには、何を本当に世界に輸出すべきかということ。工業製品以外にも輸出できる精神的、文化的なソフトパワーがなければいけません。〝復讐心〟を輸出することができますか。現在、世界やアジアの周辺国では、中国に対する警戒心や不信感が増大しています。ですから中国には寛容性、包容力があることを、世界に示さなければいけません。

日中韓の和解は可能である

金 ドイツの思想家、ハンナ・アーレントが言ったように「相手を滅ぼすのではなく、共生のための提携、協力の精神」が、いま必要ですね。馬さんは、日中韓和解の可能性はあると見ていますか。

馬 私は可能だと確信しています。私の「対日関係の新思考」は、中国指導層にも影響を与えました。2006~2008年のあいだ、日中両国の指導者は4回も相互訪問しています。

これは中国側が「新思考」を受容したからでしょう。胡錦濤（フーチンタオ）や温家宝（ウェンジアバオ）の外交政策の理論的基礎になった可能性も高いと思います。

こうしたことは、何も私の思い込みではありません。中国国内の知識人たちも、そう指摘していますから。2008年に発表された日中共同声明には、次のような言葉が盛り込まれています。

「中国側は、日本が、戦後60年余り、平和国家としての歩みを堅持し、平和的手段により世界の平和と安定に貢献してきていることを積極的に評価した」

金　これは中国の日本認識において、非常にポジティブな意味を持っていますね。

2007年、温家宝首相は日本の国会における演説で「中国の改革開放と近代化建設の際は、日本政府と国民から支持と支援をいただきました。これを中国人民はいつまでも忘れません」と発言しました。胡錦濤国家主席も2008年、早稲田大学での講演で日本のODA、円借款による支援に謝意を表明しています。これこそ「新思考」の実践ではないでしょうか。

馬　まさにそうですね。「新思考」は、将来的にも中国の対日政策において、重要な根拠になると信じています。大きな生命力を持っているとも言えるのではないでしょうか。

現在は日中の人的交流も盛んになっていますが、実際に日本を訪れた中国人の日本に対する態度や見解は、より良い方向に変わっているようです。テレビドラマによく出てくる日本人と、実際に出会う日本人はまったく違いますから（笑）。

日本文化に魅了されて、日本を好きになる中国人がますます増えていくでしょう。この対談の冒頭でも述べたように、ヨーロッパではフランスとドイツが過去の因縁を超克した関係を築きました。私は中国と日本も、この両国をモデルとして見習うべきだと強く考えています。

[略歴]

金文学（きん・ぶんがく）

比較文化学者、文明批評家、日中韓国際文化研究院長。1962年、中国の瀋陽で韓国系中国人3世として生まれる。85年、東北師範大学外国語学部日本語科卒業。大学講師を務めたのち91年に来日し、同志社大学大学院、京都大学大学院を経て2001年、広島大学大学院博士課程修了。広島文化学園大学、福山大学、安田女子大学などで教鞭を執る。現在は日本に帰化し、日中韓3国で執筆、講演活動中。「東アジアの鬼才」と呼ばれるなど、その言論活動はアジア各国で高く評価されている。
『韓国人が知らない安重根と伊藤博文の真実』『進化できない中国人』『中国人が明かす中国人の本性』『逆検定 中国歴史教科書』（井沢元彦氏との共著）『愛と欲望の中国4000年史』（以上祥伝社）、『あの「中国の狂気」は、どこから来るのか』（ワック）など、著書は日中韓3国で90冊以上に及ぶ。

カバー写真：Ⓒ共同通信社 / アマナイメージズ

われわれが習近平体制と命がけで闘う13の理由

2020年7月15日　　第1刷発行

著　者　金 文学

発行者　佐藤 春生

発行所　株式会社ビジネス社

〒162-0805　東京都新宿区矢来町114番地 神楽坂高橋ビル5F
電話　03(5227)1602　FAX　03(5227)1603
http://www.business-sha.co.jp

〈装幀〉中村聡
〈本文組版〉野中賢（システムタンク）
〈印刷・製本〉中央精版印刷株式会社
〈営業担当〉山口健志
〈編集担当〉大森健太郎

ISBN978-4-8284-2181-0